Fidèle à un rêve

Éditions J'ai Lu

THERESA CHARLES

Fidèle à un rêve

Traduit de l'anglais
par Mariel SINOIR

Ce roman a paru sous le titre original :
ONE WHO REMEMBERS

1

– Et qu'as-tu l'intention de faire, maintenant? Trouver à t'occuper d'une autre vieille originale invalide? demanda Belle de l'air résigné de quelqu'un qui connaît déjà la réponse.

Le regard froid, à la fois protecteur et méprisant, qu'elle promena sur moi coupa net le désir que j'aurais pu avoir de me confier à elle. Je ne l'avais pas vue depuis un an, mais elle n'avait pas changé. Son attitude envers moi ne changerait jamais. Pourquoi m'être imaginé qu'elle pourrait soudain assumer son rôle de sœur aînée affectueuse et soucieuse de mon avenir?

Belle m'avait acceptée depuis ma naissance et s'était efforcée de me tolérer. Je n'avais pas le souvenir qu'elle eût jamais agi, à mon égard, de façon malveillante. Et si elle n'avait fait aucun effort pour dissimuler son ressentiment quand sa mère, restée veuve, avait épousé mon père, elle avait eu, en dépit de son jeune âge, assez de bon sens et de lucidité pour ne pas englober dans sa rancune le bébé né, un an plus tard, de cette union. Pour une fillette de cinq ans, la venue d'une petite sœur avec laquelle elle pourrait jouer à la maman aurait dû être accueillie par elle comme un cadeau. Mais Belle n'avait pas l'instinct maternel. Peut-être était-ce une erreur d'avoir compté qu'elle accepte de bon gré de partager avec mon père et moi l'affection d'une mère qu'elle avait eue pour elle seule.

Son dépit n'avait pas tenu à la personne de père lui-même. Qui d'ailleurs aurait pu nourrir la moindre amertune à l'égard de Dallas Smith, ce grand gaillard d'homme, facile à vivre, la bienveillance et l'amabilité mêmes? Il était « à tu et à toi » avec tous les gens du village et les enfants et les animaux venaient à lui, comme attirés par un aimant. Plus que mon père lui-même, c'était son métier que ma demi-sœur avait refusé. Quand nous étions enfants, toute allusion ou taquinerie sur le « forgeron du village » avait le don de la mettre en boule. Elle insistait sur le fait qu'elle était née Belinda Benson et non pas « la fille du forgeron du village ».

Sa réaction m'avait troublée et choquée, car je ne comprenais pas qu'elle se refuse à partager la fierté touchante que j'éprouvais pour mon père et pour son métier. Son père, son grand-père et le père de celui-ci avaient vécu dans la forge. Dans la famille c'était une vocation, et une tradition qu'il avait été heureux de suivre. Il ferrait les poneys et les chevaux, comme ses aïeux, avant lui, les avaient ferrés; mais père n'était pas qu'un maréchal-ferrant, c'était aussi un artisan de talent, dont on appréciait fort le travail de fer forgé. Présentées dans de nombreuses expositions du comté, ses réalisations lui avaient attiré plus de commandes qu'il n'était en mesure de satisfaire. Il adorait son travail, et je me souviens que j'aimais à le regarder tout en faisant semblant de l'aider, comme Belle avait l'habitude d'aider mère à la maison. Comme je regrettais, et père aussi probablement, d'être une fille, une petite réplique de ma mère avec des cheveux roux et des taches de rousseur, au lieu d'être un géant blond qui, un jour, aurait pu lui succéder.

Les traditions familiales de mère, dont Belle se targuait, me paraissaient vides et quelconques, quand je les opposais à celles de père. Le père et le grand-père de mère avaient exercé la médecine et elle-même avait travaillé comme infirmière dans un des hôpitaux de la Cité. C'est là qu'elle avait rencontré le jeune docteur qui devait devenir son époux et le père de Belle. C'était en tant qu'infirmière visiteuse qu'elle était venue à Netherfield Green et que, sans perdre de temps, elle avait séduit le « maréchal-ferrant du village » lors d'une visite professionnelle à la forge où elle venait soigner une jambe brûlée.

Pour mère, il semblait tout à fait normal que ses filles, l'heure venue, se tournent vers la profession d'infirmière. Avec une parfaite maîtrise et une grande facilité, Belle avait passé ses examens et était à présent infirmière en chef dans un important hôpital de Plymouth où elle jouissait d'une grande considération. J'avais à peine terminé ma seconde année d'école d'infirmières quand eut lieu la catastrophe, la mort tragique de père frappé d'un coup de sabot à la tempe par un cheval fougueux qu'il était occupé à ferrer. L'écroulement de mère, dû à un trouble cardiaque jusque-là insoupçonné, avait nécessité une présence auprès d'elle. Belle, à ce moment, faisait partie du personnel infirmier de Saint-Cyriac, notre hôpital-école situé sur la frontière Surrey-Sussex, et venait juste d'obtenir à Plymouth le poste plus intéressant et mieux rétribué qu'elle avait postulé. Il n'avait pas été question une seconde qu'elle renonçât à une carrière qui s'annonçait prometteuse, alors que l'abandon de la mienne n'avait pas représenté pour moi un déchirement. Je n'avais jamais partagé les ambitions de Belle. L'idée d'achever ou non ma formation ne m'avait pas paru très importante, car tous mes rêves se ramenaient à Cecil et à la vie que nous partagerions dès qu'il serait en mesure de se marier...

– Tu devrais retourner à Saint-Cyriac et passer tes examens, dit Belle d'un ton tranchant et aussi cassant que la salade craquante dont je me servais. Pourquoi diable ne le fais-tu pas?

– J'ai vingt-cinq ans. Bientôt vingt-six, lui rappelai-je. Je me ferais l'effet d'une idiote, de devoir tout recommencer depuis le début. D'autre part, je ne pense pas que je pourrais m'habituer à la vie d'hôpital maintenant. Et puis, ce ne sont pas les emplois qui manquent. J'ai plusieurs choses en tête.

– Des jobs pitoyables, sans avenir, dit Belle d'un air sévère. T'enterrer au fond de la campagne, auprès d'une vieille dame qui tire le diable par la queue! Tu perds ton temps. C'est mal, à ton âge.

– J'aime la campagne et j'aime m'occuper des vieilles dames, répondis-je sur la défensive. Pour ce qui était d'Henrietta Pearse, en tout cas, j'ai beaucoup aimé vivre auprès d'elle. Elle était tout simplement adorable; et jusqu'au bout d'une bonne humeur et d'un courage admirables. J'avais vraiment pour elle une réelle affection et j'ai trouvé passionnant de lui servir de secrétaire. Nous discutions ensemble des personnages et des intrigues.

– Captivant, je conçois...

Je sentis la rougeur me monter au visage. C'était inutile d'essayer. Je ne pourrais jamais faire comprendre à Belle pourquoi j'avais été heureuse dans ce cottage désolé, perdu sur les falaises de Cornouailles avec pour toute compagnie Henrietta Pearse et sa vieille gouvernante-cuisinière, trois gros chats et un petit dachshund débordant de vie. J'avais toujours été incapable d'expliquer à Belle pourquoi j'avais répugné à retourner à Saint-Cyriac après la mort de mère. Il y avait eu plusieurs raisons; mais la vraie, celle qui avait dominé, avait été la conviction que je n'étais pas faite pour la vie d'hôpital. J'éprouvais comme un désir profond, un besoin d'être utile, de sentir que j'étais personnellement nécessaire, comme ce ne serait jamais le cas à l'hôpital.

— Trois ans d'une vie d'esclave et qu'en as-tu retiré? demanda Belle, après un silence. Miss Pearse ne t'a même pas laissé le cottage, n'est-ce pas?

— Je n'ai jamais rien espéré de tel, me hâtai-je de préciser. Il est tout naturel qu'elle l'ait laissé, ainsi qu'une petite rente, à la vieille Martha qui l'a servie pendant trente ans. En fait, miss Pearson m'a laissé sa voiture et quelques possessions personnelles. C'est pour cela que son homme d'affaires désire me voir et que je me rends à Londres.

— Quelques vieilles babioles démodées, je suppose? Et une voiture dont tu n'as pas les moyens de te servir, dit Belle l'air méprisant. Pourquoi ne peux-tu pas te ressaisir, Connie, et faire quelque chose de ta vie avant qu'il ne soit trop tard?

Faire quoi? me demandais-je, révoltée intérieurement et regrettant de m'être arrêtée à Plymouth pour déjeuner avec Belle. Elle était ma seule famille proche, mais je ne pourrais jamais me sentir en intimité avec elle. A cette heure, elle me tenait à distance comme elle l'avait fait alors que j'étais enfant. Elle donnait l'impression que permettre à quiconque d'avoir prise sur elle ou sur ses émotions était un risque qu'elle ne pouvait courir. Pourquoi cela? Par auto-défense? Par crainte que tout appel à ses émotions ne soit susceptible de menacer sa vie bien huilée, et le futur qu'elle s'était arrangé?

Je promenai un regard curieux sur le petit salon élégamment meublé. Le décor dans lequel Belle vivait était le fidèle reflet de sa personnalité; ravissant, mais austère, avec un je ne sais quoi d'un peu glacial. Les murs d'une blancheur immaculée, les moquettes gris sombre, le bleu froid des rideaux et des sièges, les meubles peu nombreux mais de qualité, et la totale absence de tout désordre féminin composaient un ensemble qui convenait à la silhouette élancée de Belle et à ses traits finement ciselés encadrés de cheveux blonds, lisses et luisants.

Les Decanter, il y a des années de cela, l'avaient surnommée « la Belle Blonde », du nom d'une des roses que leur mère affectionnait tout particulièrement; mais, pour moi, elle évoquait plutôt une tulipe qu'une rose, belle mais sans parfum.

Etait-ce le jugement des Decanter qui lui avait fait conclure au besoin de se cuirasser? S'ils n'étaient jamais venus à Netherfield Green, ne s'étaient pas dirigés gaiement vers la forge au petit galop, en m'envoûtant littéralement et en déchaînant l'hostilité de ma sœur, se serait-elle épanouie davantage et aurait-elle eu en elle plus de chaleur? Et serais-je devenue, moi-même, une personne d'action au lieu d'être une rêveuse?

Comment nos vies avaient-elles été si profondément et si contrairement influencées par ces trois êtres?

Notre différence d'âge m'avait pratiquement fait vivre comme une enfant unique et solitaire la majeure partie du temps. J'avais sept ans à la mort du châtelain. Pour les enfants de l'endroit, il avait été le personnage légendaire, ténébreux et rarement aperçu, même quand nous nous risquions à nous glisser sur les terres du château de Cointreaux pour y ramasser les pommes ou les châtaignes tombées des arbres. Au cours de ces incursions, nous avions l'habitude de le traquer en nous cachant, comme s'il s'était agi d'un ogre féroce. En fait, il ne nous aurait sans doute pas remarqués, même s'il nous avait attrapés avec les poches pleines. D'après les conversations de mes parents, j'avais compris que, depuis la mort de son fils unique à la guerre, le châtelain s'était retranché derrière ses hauts murs de pierre et vivait comme un reclus. Ma mère, demeurée l'infirmière visiteuse responsable, se lamentait et avait trouvé « terrible » que ce pauvre homme soit coupé des amis et parents qui lui restaient à cause d'une simple querelle de famille qui avait eu lieu alors qu'il n'était qu'un jeune garçon. Il aurait dû y avoir réconciliation avant qu'il ne soit trop tard. Le vicaire ne pouvait-il pas lui faire entendre raison?

– Ma chérie, lui avait dit père, personne n'a jamais pu faire entendre raison à un Decointre. Tu crois que le vicaire n'a pas essayé? Et le Dr Corburn Macdonald a cherché, lui aussi, à le raisonner. Mais c'est inutile. La devise de la famille est : « Ne jamais oublier. » Ce pourrait bien être, aux dires de tout le monde : « Ne jamais oublier et ne jamais pardonner. » Si le domaine n'avait pas été inaliénable, il y a belle lurette que le châtelain aurait déshérité le fils de son cousin.

C'est à peine si je me rappelais le visage de ce vieil homme décharné, à la chevelure blanche, dont la mort, pourtant, allait changer ma vie. Je ne m'intéressais qu'à moitié aux rumeurs circulant dans le village et qui avaient trait au nouveau châtelain. On disait qu'il avait vécu au Canada, où il possédait un ranch qu'il aurait vendu pour venir s'installer au château avec sa femme et toute sa famille. Et à l'école, un enfant plein d'imagination avait laissé entendre que le nouveau châtelain était un Noir – raison pour laquelle il avait été gardé pendant si longtemps comme un sombre secret. D'autres prétendaient qu'il avait épousé une Squaw et qu'on verrait leurs enfants galoper avec des plumes dans les cheveux en brandissant un tomahawk.

– Quelle sottise! s'était exclamée Belle d'un air méprisant quand je lui avais rapporté ces rumeurs. Ils seront sans doute capables de monter à cheval s'ils ont vécu dans un ranch. Et ils rafleront probablement les coupes que tu détiens depuis trois ans.

Cette possibilité ne m'avait pas inquiétée. Je marchais à peine que, déjà, on m'avait mise en selle et que, bien vite, je gagnais des prix dans les concours hippiques du poney-club. Père était heureux de mes succès, mais les coupes et les cocardes n'avaient jamais eu beaucoup d'importance pour moi.

– Ce serait drôle de pouvoir monter avec quelqu'un, dis-je avec un sourire pensif.

Belle n'aimait pas les poneys ni aucun autre animal, d'ailleurs. Père avait essayé de la faire monter, mais dès la première chute elle avait refusé obstinément de se remettre en selle. Belle, je devais le comprendre bien plus tard, n'avait que faire de ce qu'elle ne pouvait contrôler. Elle avait appris à conduire un an avant d'être en âge de pouvoir passer son permis et elle était en un rien de temps devenue une experte du volant; mais les chevaux n'étaient pas pour elle.

– Comme si la famille du châtelain allait monter avec toi! (D'un geste impatient elle avait rejeté en arrière ses longs cheveux blonds.) Ce que tu peux être enfant, ma pauvre Connie!

Même si je devais vivre centenaire, je ne pourrais jamais oublier ma première rencontre avec les jeunes Decanter. Ils étaient arrivés au petit galop par une belle soirée de mai, traversant la pelouse en direction de la forge. Père et moi les avions vus, piquant droit sur le terrain de l'équipe de football, et père, d'un air impératif, leur avait fait signe de quitter le terrain et de reprendre la route. Ou bien ils se méprirent sur le geste de père, ou ils décidèrent de l'ignorer. Ils caracolèrent dans notre direction, montés sur de splendides poneys que, malgré mon jeune âge, je reconnus comme étant d'une tout autre race que mon Mingo, le robuste poney brun de Dartmoor que je montais.

Avais-je eu conscience que les cavaliers appartenaient

eux aussi à une catégorie différente de la mienne? Ils étaient trois, une fille et deux garçons. La fille marchait en tête. C'était son poney qui avait perdu un fer et ce fut elle qui s'arrêta à côté de mon père.

Le garçon qui suivait immédiatement derrière était si semblable à elle, leur ressemblance telle, qu'ils ne pouvaient être que jumeaux. Si je dis que c'était incroyable, que je croyais rêver, alors j'aurai résumé l'impression que m'avaient produite ces deux êtres en les regardant pour la première fois avec des yeux éberlués. Tous deux avaient des cheveux d'un noir bleuté, coupés en frange sur le front, des yeux brun sombre très brillants, et la peau si bronzée qu'elle donnait l'impression d'être tannée. Tous deux avaient cette fougue, cet air d'arrogance inconsciente que donne la race, cette race que j'avais instantanément reconnue dans leurs montures. Beaux, ils l'étaient incontestablement, mais plus que leur merveilleux physique, ce qui me souleva et m'envoûta c'était leur chaleur, leur vitalité et leur attitude amicale.

La timidité ou la réticence étaient inconnues à ces deux êtres. Presque immédiatement ils s'adressèrent à père et à moi comme si nous étions des amis de longue date... ou peut-être, ce qui est plus exact, comme s'ils ne doutaient pas que nous serions, dans les années à venir, leurs meilleurs amis du monde.

Angela, l'aînée des jumeaux, venue au monde, nous avait-elle dit, une demi-heure avant son frère, était déjà la jumelle dominatrice et exigeante. Aylward, plus grand qu'elle de deux bons centimètres, un peu plus large d'épaules, et, si la chose est possible, d'une beauté encore plus spectaculaire, la laissait faire à sa tête mais, dès qu'il intervenait, ses remarques étaient toujours très pertinentes. C'était lui qui m'avait donné mon surnom...

En fronçant le front, Angela avait essayé de deviner mon prénom.

– Constant? Vous voulez dire Constance? Connie pour abréger?

– Non, Constant. Le prénom de mon grand-père, avais-je répondu en ajoutant sans empressement : les gens m'appellent Connie, mais cela ne me plaît pas.

– Conker (1) serait mieux. Ces arbres-là sont bien de vrais marronniers d'Inde? remarqua Aylward, levant les yeux vers les trois marronniers en fleur, un blanc et deux roses, qui s'élevaient au bout de l'allée de notre jardin.

Père m'avait dit que c'était le poème de Longfellow qui avait donné à grand-père l'idée de planter ces arbres. Mère prétendait qu'ils appauvrissaient le sol et se plaignait de ce que, sous leurs larges branches au feuillage touffu, aucune autre végétation ne pouvait pousser. Mais elle avait beau maugréer, père n'avait jamais renoncé à ses marronniers. Sa seule concession, c'était, l'automne venu, de rogner un peu les grandes branches qui surplombaient le sentier.

– Conker, répétait Aylward, me scrutant de ses yeux bruns pleins d'intelligence. Vos cheveux ont la couleur des marrons et vos yeux celle des feuilles. Si vous voulez, nous vous appellerons Conker au lieu de Connie.

Sa voix, plus grave que celle de sa sœur, avait quelque chose de traînant qui me rappelait les westerns que père et moi regardions à la télévision. Ce qui, joint à la manière déférente avec laquelle il se pencha vers moi pour entendre ma réponse, vint ajouter au charme que déjà je lui prêtais.

– Oui, dis-je en retenant mon souffle. Oui. Je crois vraiment que je préférerais.

– Conker, c'est l'abréviation de Conquérant, ce qui ne convient pas. Une fille ne peut pas être un conquérant...

_____
(1) Marron d'Inde.

14

La protestation vint de son frère que, jusque-là, j'avais à peine remarqué. Il s'était tenu à l'arrière-plan, tandis qu'Angela s'était présentée et avait présenté son frère jumeau. Plus petit et plus mince, ses cheveux étaient d'un ton de brun un peu cendré, et son hâle moins prononcé. Ses traits étaient plus flous, moins accusés, et les verres ronds qui recouvraient ses yeux le faisaient ressembler à un jeune hibou.

– Bien sûr qu'elle peut, monsieur l'Intelligent! riposta Angela d'un air de défi. (Puis tournant la tête en direction de son jeune frère.) C'est Cecil, dit-elle. Il n'a que huit ans, mais il se considère comme le dépositaire du cerveau de toute la famille, et il connaît toutes les réponses.

– J'ai presque neuf ans – et j'ai gagné plus de prix qu'Aylward, rappela Cecil.

– Oh, admis! Tu es le Cerveau. Je ne suis que le Muscle, dit Aylward, narquois.

La frange de cils noirs qui bordait ses yeux étaient d'une longueur irréelle comme ceux d'une jeune biche et son sourire avait une qualité de charme que je n'avais encore jamais rencontrée. Dès qu'il souriait, des petites lumières dansaient dans ses yeux au coin desquels apparaissaient des plis fins, et ses lèvres se retroussaient pour découvrir une splendide dentition, robuste et éclatante de blancheur. Il me donnait l'impression que tout, dans le monde, était et serait toujours bien, aussi longtemps qu'il y serait présent.

Ces impressions fortes, les avais-je éprouvées lors de notre première rencontre, ou s'étaient-elles formées lentement, par la suite? Difficile à définir maintenant, près de vingt ans plus tard, bien que la scène elle-même soit gravée à jamais dans mon souvenir, avec ses sons et ses parfums. Les senteurs d'aubépine et de marronniers, feu, odeur chaude de cheval propre, un mélange familier pour moi, mais que jamais je n'avais absorbé aussi intensément. Les sons, tintements des harnais et piétinements incessants des poneys, que dominait la voix perchée et arrogante d'Angela qui me bombardait de questions. Elle m'avait semblé troublée et comme peinée que les fermiers de l'endroit soient d'une espèce si peu amicale, chassant de leurs terres les trois nouveaux arrivants. Où dans cette « ville de cheval » peut-on se promener avec le sien?

En langage pittoresque, elle racontait ses rencontres avec des fermiers irascibles. Je l'avais regardée bouche bée, ahurie par l'ignorance d'une créature que je trouvais si épatante. Ne savait-elle pas qu'en mai on clôt les champs pour faire les foins et que s'y promener à cheval, avant qu'ils ne soient coupés, était la pire des offenses? Et pire qu'une offense, piétiner le jeune maïs était un véritable crime.

– Que vous disais-je? m'avait demandé Cecil d'un air de triomphe, quand j'avais essayé d'expliquer.

– Monsieur l'Intelligent! (Angela lui adressa une grimace et répéta sa question :) Alors, où les poneys peuvent-ils se détendre?

Il y avait le terrain communal et de vieilles pistes cavalières, lui avais-je répondu. Et, de sa manière gentiment arrogante, elle avait insisté pour que je monte avec eux et leur montre ces endroits. Et quand le poney finalement ferré, les trois s'éloignèrent en direction du château, je savais déjà que mon cœur appartenait à tout jamais aux Decanter.

Pour les autres enfants du village, tout comme pour moi, ils étaient toujours « les Decanter ». A l'origine le nom de la famille avait été de Cointreaux et, à un certain moment, pendant l'une des guerres que se livraient périodiquement la France et l'Angleterre, le nom de Cointreaux avait été anglicisé et était devenu Decointre. Puis les enfants à leur tour l'avaient transformé trouvant sans doute plus facile de prononcer « Decanter » (1), et estimant qu'il convenait davantage à ces cavaliers experts. Angela et Aylward montaient comme si la selle avait été leur berceau. Cecil, lui, était plus prudent et n'avait pas le goût d'épater. J'étais capable d'admirer l'ardeur et la vivacité d'Angela mais, formée comme je l'avais été par mon père, je n'approuvais pas toujours sa témérité et le manque de ménagement qu'elle avait, parfois, pour son poney. Je ne m'étais jamais risquée à la critiquer ouvertement, ayant compris très tôt qu'elle n'aurait toléré ni critique ni rébellion. M'ayant accueillie dans le cercle de famille, elle attendait de moi la même soumission aveugle que celle qu'elle attendait de ses frères. En retour, elle me traitait comme elle traitait Cecil. Nous devions rester à notre place, mais elle était toujours prête à nous protéger des intrus...

Nous étions de nouveau en mai. Traversant Saint-Austell avec la voiture, j'avais eu le temps d'entrevoir les marronniers en fleur et de voir que, dans la campagne, les haies d'aubépine étaient en pleine floraison. Les ajoncs resplendissaient de leur riche lumière et les primevères étoilaient encore les talus que recouvraient aussi violettes sauvages et stellaires. Et à Netherfield Green, je le savais, tout autour du château, les bois seraient un tapis de jacinthes.

Mai pour moi était le plus beau mois de l'année; un mois enchanté avec tous les délices du printemps et aussi les promesses de l'été. C'était le mois des longues soirées, des soirées s'allongeant sans cesse. Mai, un mois d'un air transparent qui lui est propre, de chaud soleil, un mois véritable, mais qui connaît rarement de très grands vents, et permet la délicieuse sensation d'anticipation que « le meilleur reste encore à venir ». Peut-être est-ce le lointain

(1) *Canter* signifiant en anglais : petit galop.

mai de mes sept ans, et les visions dorées qu'il m'avait ouvertes, qui m'a fait aimer ce mois à tout jamais.

Faire partie d'une famille, même comme le plus jeune membre et le moins important, avait été la matérialisation de mon rêve le plus cher. Finies les longues heures de solitude des vacances scolaires. Depuis cette première soirée où ils étaient venus à la forge, ma vie n'avait tourné qu'autour des Decanter. Je faisais tout naturellement partie de tous leurs plans. Et au lieu d'attraper le bus pour aller à l'école, le châtelain ou sa femme m'y conduisait avec mes nouveaux amis.

Belle était le seul nuage dans mon horizon rayonnant. Presque dès le début, elle et Angela s'étaient opposées. Le fait qu'elle soit de deux ans plus âgée qu'elle n'aidait pas Belle à maintenir sa position à l'école, devant les défis d'Angela. Celle-ci fut immédiatement populaire et s'affirma comme un leader-né. J'étais ravie de la suivre et à la fois peinée et déconcertée quand Belle fulminait contre « la suffisance et l'autoritarisme de cette mademoiselle Jordonne ».

J'étais petite, rousse, criblée de taches de rousseur, et sans une idée bien haute de mon extérieur ou de mes talents. Belle, à douze ans, était déjà une beauté, dans son style froid et pâle de lys. Au cours des deux derniers étés elle avait été choisie pour être la « Reine de la ville durant la semaine de la Foire ». Et l'été qui vit l'arrivée des Decanter, ce titre fut décerné à Angela. Ce fut à elle et non pas à Belle qu'on confia le grand rôle dans la pièce que nous jouions à la fin du trimestre scolaire...

Belle était toujours un peu sur la réserve et « mijaurée » comme l'appelaient les enfants du village. Angela, elle, était liante avec tout le monde et attirait tous les regards par son extraordinaire vitalité, sa chaleur, sa beauté saisissante ainsi que sa gaieté et son entrain. Bien plus tard, j'étais à même de comprendre ce que Belle avait dû souffir, et pourquoi elle avait été irritée contre Angela en qui elle avait vu une usurpatrice. Mais au moment où les choses se passaient, j'étais simplement navrée de sa déception et plus navrée encore de sa persistance à tenir les Decanter à distance.

L'amitié entre mère et Mary Decointre fut presque immédiate et, de ce fait, Belle ne pouvait attendre de mère qu'elle partageât son amertume; tout au contraire elle la réprimandait vertement :

– Ma chérie, lui dit-elle, tu ne peux pas espérer être toujours la première partout. Angela est la fille du châtelain et il est donc bien naturel qu'elle prenne une part importante dans les activités locales. Tu ne devrais pas en souffrir. Est-ce que je me choque moi, de ce que Mary Decointre ait été élue présidente de notre comité? Et crois-tu que père ait eu de la peine de voir que le châtelain ait été choisi pour présider le conseil municipal? Bien sûr que non. Nous avons beaucoup de chance d'avoir ici un châtelain et une châtelaine actifs.

Mais Belle ne pouvait voir le problème sous cet angle. Elle n'était pas assez âgée pour cela et n'avait pas assez d'expérience du monde pour faire la part de l'instabilité, bien connue, et du caprice de tout public, large ou petit. Et Belle continua à nourrir ses griefs contre les Decanter, tournant en dérision leur popularité et affectant de rire de leurs ambitions. Les trois étaient décidés à exercer une influence dans le monde et ils ne voyaient aucune raison de faire mystère de leurs objectifs.

Aylward, à sa manière aussi aventureux que sa sœur, s'apprêtait à être un explorateur célèbre en même temps qu'un naturaliste. Il allait traquer les oiseaux et animaux rares, non pas pour les tuer ou les capturer, comme il tenait à l'affirmer, mais simplement pour démontrer comment et en quel lieu ils avaient survécu. Angela, qui était passionnée de photographie, projetait de l'accompagner dans ses expéditions, filmant à ses côtés... ce qui les rendrait célèbres à travers le monde. Cecil et moi pourrions nous attacher à eux, en tant que médecin et infirmière, avait dit gentiment Angela.

Cecil, du fait peut-être qu'il était éclipsé par un frère et une sœur tellement plus spectaculaires que lui, donnait l'impression de ne pas aspirer à une position qui le mettrait en lumière. Il serait médecin, comme son grand-père maternel, une célébrité de Montréal. Il allait découvrir comment traiter certaines maladies qui jusqu'ici avaient déconcerté le corps médical.

Cecil, bien qu'il m'ait fallu des années pour m'en rendre compte, avait la même confiance en lui que les jumeaux, et était tout aussi déterminé à se faire un nom.

Angela était le chouchou de son père, mais, très curieusement, le préféré de leur mère n'était pas le beau et brillant Aylward, mais le tranquille et silencieux Cecil.

– Vous deux, disait-elle aux jumeaux sur un ton de reproche, vous ne songez qu'à vous et à ce que vous pouvez retirer de la vie. Cecil, lui, projette de consacrer son énergie et ses talents à aider les autres. Tout comme Connie...

Je la croyais. Je croyais honnêtement, avec une lueur intérieure de satisfaction, que Cecil et moi étions deux êtres généreux et méritoires, qui travailleraient sans penser à la récompense. Peut-être pourrions-nous nous partager un peu de la gloire et de l'éclat des jumeaux, mais nous ne les rechercherions jamais pour notre propre compte.

Je devais avoir environ neuf ans quand je me rendis compte, pour la première fois, que notre quatuor n'était pas permanent et pouvait se dissoudre. C'était par un soir de décembre d'un froid glacial et tous les quatre, assemblés autour de l'immense cheminée de la salle à manger, nous faisions griller des marrons ramassés dans les bois.

Cette opération était accompagnée d'un certain rite de bonne aventure et Angela protestait, disant qu'en laissant Aylward disposer mes marrons sur le feu je ne jouais pas le jeu honnêtement.

– Ne taquine donc pas cette enfant! Elle a déjà suffisamment roussi ses pauvres pattes, interrompit Aylward dans un de ces gestes chevaleresques qui toujours allumaient en moi le culte du héros. De plus, elle n'a pas besoin qu'on lui dise la bonne aventure. Les filles aux cheveux couleur de marron et aux yeux verts, comme les yeux de chats, sont nées sorcières. Vous ne le saviez pas? Elle aura tout ce qu'elle veut dans la vie.

– Et qu'est-ce au juste? demanda nonchalamment le châtelain, depuis son fauteuil au bord du petit cercle que nous formions. Que voulez-vous de la vie, mon petit? Un titre, un beau mari, et la fortune?

– Oh non! Je veux seulement épouser Aylward et l'accompagner dans ses expéditions, avais-je répondu sans hésiter.

Aylward avait incliné la tête et dit « Merci, ma chérie! », mais Cecil m'avait regardée d'un air de reproche et Mary Decointre, se rendant compte qu'il était blessé, avait protesté :

– Aylward? Et Cecil alors? Je croyais que vous étiez le copain tout particulier de Cecil?

– Oh, mais bien sûr! m'étais-je écriée dans une bouffée de remords. J'aime Cecil exactement autant. Je l'épouserai lui aussi.

Le rire que j'avais déchaîné fut interrompu par Angela qui dit à dessein :

– Mais tu ne peux pas te marier avec Aylward. Il devra épouser une riche héritière qui financera ses expéditions. Il te faudra opter pour Cecil.

– Tu le feras, m'avait alors dit Cecil, avec un air grave et déterminé. Toi et moi allons ensemble.

Tout au début, j'avais été fascinée et comme éblouie par Aylward, mais peut-être avais-je compris avec regret qu'il n'était pas pour moi. Cecil, d'un âge proche du mien, était mon fidèle allié et mon compagnon.

Quand il m'avait dit très sérieusement :

– Je t'aime et lui ne t'aime pas. Promets-moi que tu m'épouseras un jour.

– Très bien, je t'épouserai, avais-je répondu d'un air résigné.

– C'est une promesse, avait-il confirmé.

Dix ans plus tard, alors étudiants tous deux à Saint-Cyriac, il m'avait forcée à la tenir et nous nous étions fiancés officieusement. Nous savions tous deux que les fiançailles seraient obligatoirement très longues, mais nous étions sûrs l'un de l'autre et décidés à attendre. La vie, alors, était pleine de promesses pour nous tous.

Les autres étaient allés de l'avant, et continuaient de foncer, à la poursuite de leurs rêves. J'étais la seule à avoir vu s'écrouler son château en Espagne, comme un château de cartes. Dans le fond, rien de spectaculairement dramatique; ce n'avait pas été un écroulement soudain; mes rêves s'étaient simplement modifiés comme se modifie un château de sable sur lequel on a mis le pied et que balaye la marée montante. Le moment n'avait pas existé qui aurait pu m'autoriser à pleurer et à crier.

– Tout est fini. Cecil ne m'aime plus.

Il n'avait jamais dit qu'il avait cessé de m'aimer, jamais admis qu'il devenait las d'attendre. Il avait simplement commencé, imperceptiblement au début, à s'éloigner de moi. Ses visites toujours brèves s'étaient faites plus brèves encore, et de plus en plus espacées. Il travaillait très dur et venir jusqu'à Plymouth, ce qui représentait plus de deux cents miles au volant, était épuisant, surtout pendant la saison touristique. De ma part, c'eût été égoïste que d'attendre de lui qu'il se batte dans cette circulation avec ses arrêts, ses lenteurs, simplement pour passer quelques heures avec moi. L'automne serait plus facile. Mais l'automne une fois là, un automne orageux et violent, ce fut le climat et les intempéries qu'il fallut considérer. Toute annonce par la météo, de neige, de routes glacées et d'épais brouillards, et Cecil n'osait pas courir le risque de rester en panne.

Il passerait Noël avec mère et moi dans la petite maison de campagne que Belle avait trouvée pour nous... à moins que je puisse persuader Belle de s'occuper de mère et que je rejoigne la famille au château? Ses parents espéraient que ce serait possible. Le châtelain n'ayant pas été en très bonne santé, la mère de Cecil tenait à ce qu'il soit à la maison pour surveiller un peu son père. Belle aurait-elle accepté et m'aurait-elle laissé m'échapper pour quelques jours? Je ne devais pas connaître la réponse, car les deux, Belle et mère, terrassées subitement par la grippe, je dus passer ce Noël à les soigner...

Les lettres étaient une consolation, mais maigre. J'écrivais fréquemment et avec tout mon cœur; mais Cecil, visiblement, semblait incapable de s'exprimer librement sur le papier. Au long de ces interminables mois que durèrent nos fiançailles, je ne reçus jamais une seule lettre passionnée; une de ces lettres qu'on enferme jalousement à l'abri des regards indiscrets et dont on se nourrit durant des années.

Et cependant, je n'avais jamais douté de son amour pour moi; jamais douté que, s'il avait été en position d'assumer la responsabilité d'une femme et d'une belle-mère à demi invalide, il aurait sans hésiter fixé le jour. Il ne m'était jamais venu à l'esprit qu'il puisse prendre ombrage de mon « dévouement » à ma mère, de laquelle d'ailleurs je ne m'étais jamais sentie particulièrement proche. Depuis mes plus jeunes années, j'avais été toute à mon « papa ». Peut-être aussi avais-je eu le sentiment que, pour mère, père comptait beaucoup plus que n'importe laquelle de ses filles.

Je ne pouvais prétendre qu'une affection absolue pour ma mère m'amenait à lui sacrifier mon futur. Je ne l'avais pas décidé. C'était Belle qui m'avait chargée de m'occuper de mère. Et au moment où j'acceptai cette tâche, j'avais supposé que ce ne serait que pour peu de temps. Mère n'avait, après tout, que la cinquantaine et il était donc normal d'espérer qu'avec du repos et des soins son état cardiaque s'améliorerait. Sans doute avons-nous tendance pour la plupart à ne pas voir dans nos parents des êtres doués d'une individualité propre. Je n'avais, quant à moi, jamais étudié ma mère en tant qu'individu. Je n'avais pas soupçonné qu'elle eût besoin de la compagnie d'un homme. Elle avait eu deux mariages heureux et deux maris qui avaient été à sa dévotion. Veuve maintenant pour la seconde fois, avec une santé qui chancelait et pour toute compagnie sa fille, une adolescente perdue dans ses rêves, mère n'aimait plus la vie, ne lui trouvait plus aucun intérêt. Pourquoi faire un effort quand il n'y avait plus d'homme auprès d'elle pour en être le témoin et pour l'y encourager?

A ma grande consternation, elle devenait de plus en plus dépendante de moi. Belle, je dois lui rendre justice, avait fait de son mieux pour persuader mère de cesser de s'apitoyer sur elle. Malheureusement pour moi elle ne réussit qu'à la convaincre que sa fille aînée était dure et sèche de cœur. Et le résultat fut que mère s'accrocha à moi encore plus désespérément et de façon plus exigeante. Si j'avais pu prévoir ce résultat, aurais-je eu le courage, ou la dureté, de m'éloigner d'elle? Je ne le pense pas. Le fait de savoir que mère avait besoin de moi et se reposait sur moi m'aurait inévitablement coupé tous mes moyens.

24

Les choses étant ainsi, la crise arriva soudainement et sans le moindre avertissement. Cecil, qui avait terminé à Saint-Cyriac, venait d'être invité pour deux ans par son grand-père dans sa célèbre clinique de Montréal. Une chance qu'il pouvait difficilement se permettre de refuser, d'autant plus que la mort de son père, survenue deux mois plus tôt, avait révélé une situation financière très grave. Aylward, depuis sa sortie de Cambridge, s'était battu pendant six mois pour sauver le domaine et songeait à louer le château. Angela, elle, avait quitté la maison et travaillait à Londres dans un studio de photographie depuis deux ans.

— Le château est invendable, mais peut-être pourrons-nous le louer. Mère sera tout à fait bien dans le pavillon, et Aylward vivra avec elle pour le moment. Je n'ai vraiment aucune raison de rester ici, m'avait dit carrément Cecil. Grand-père prend de l'âge et je serais ravi de travailler pendant un peu de temps avec lui, avant qu'il ne se retire.

— Bien sûr, avais-je dit d'un ton pitoyable. Mais... et moi, qu'est-ce que je deviens?

— C'est ton affaire! Nous pourrions nous marier tranquillement et tu pourrais venir avec moi. C'est ce que j'aimerais, comme tu dois le savoir, m'avait-il assuré. Mais... il semblerait que ce que je souhaite ne compte pas beaucoup en regard de ce que ta mère souhaite, elle.

C'était la première fois que Cecil me donnait à comprendre qu'il était, au fond de lui, amer et jaloux de ce que ma mère exigeait de moi. Cette révélation m'avait ahurie et choquée à la fois.

— Ce n'est pas vrai qu'elle passe avant toi, protestai-je. C'est simplement qu'elle est incapable de s'occuper d'elle-même pour le moment, et en même temps pas assez malade pour entrer à l'hôpital. Il faut que quelqu'un soit près d'elle.

– Alors, laisse ta sœur s'occuper d'elle. Tu as déjà fait plus que ta part.

– Belle n'abandonnera pas son poste... et d'ailleurs mère ne serait pas heureuse avec elle. Comment puis-je la quitter?

J'étais complètement bouleversée, déchirée entre mon amour pour Cecil et le besoin que mère avait de moi. Me rendre compte que le drame intérieur que je vivais semblait lui échapper me fit l'effet d'une gifle. Pendant si longtemps, je l'avais adoré, lui et toute sa famille, et m'étais sentie une des leurs depuis que j'avais sept ans. Il me semblait impossible qu'il puisse se dissocier soudainement de moi et me rejeter de ce cercle enchanté.

Il ne posa pas d'ultimatum. S'il l'avait fait et si la situation avait été aussi nette, j'aurais pu faire taire ma conscience, faire passer au second plan le salut de mère et m'en décharger sur ma sœur. Peut-être ne pouvait-il affronter l'idée des larmes ou des reproches. Il m'apaisa, promettant des choses vagues... de possibles arrangements à trouver. Il existait d'excellents homes dirigés par d'anciennes infirmières. Peut-être pourrait-on y obtenir une place pour mère? Ou peut-être une infirmière à la retraite consentirait-elle à partager la petite maison avec elle? Il n'y avait pas urgence. Quand j'aurais résolu de façon satisfaisante le problème de mère, je pourrais le rejoindre à Montréal et nous pourrions nous marier. Croyait-il vraiment que les choses s'arrangeraient ainsi, ou bien cherchait-il à me laisser tomber en douceur? Je n'ai jamais su. Une rupture franche et honnête aurait été plus humaine à la longue, que la torture d'un espoir qui se meurt et l'angoisse de craintes qui ne cessent de se rappeler à vous.

Au cours des premiers mois, il y avait les lettres qui me réconfortaient; des lettres enthousiastes – pour Cecil habituellement si retenu – parlant de la clinique et des travaux de son grand-père. La grande surprise dans sa nouvelle vie semblait être la découverte qu'il n'était pas le seul descendant du vieil homme à marcher sur ses brisées. Il y avait aussi une petite fille qui travaillait avec lui depuis qu'elle avait terminé sa médecine. Elle était de trois ans l'aînée de Cecil et se faisait fort de le lui rappeler.

Son tempérament autoritaire me rappelle Angela, avait écrit Cecil. *Pas par son physique qui me fait bien plus penser à ta sœur...* « *la Belle Blonde* » *comme Aylward avait coutume de l'appeler.*

Etait-elle aussi belle que blonde? lui avais-je demandé dans une lettre.

Très sensiblement. D'un blond éblouissant, et vraiment jolie. Ce qui est un peu injuste quand on a reçu un cerveau aussi extraordinairement brillant...

Je n'ai pas oublié quel poids s'était abattu sur mon cœur en lisant cette réponse candide. J'avais dû reconnaître en elle l'avertissement de la catastrophe proche. Avec une cousine brillante et belle travaillant à ses côtés, il eût fallu que Cecil soit un surhomme, ou follement amoureux de moi et épris de fraîche date pour ne pas avoir été tenté d'oublier son serment. Qu'avais-je à lui offrir, en comparaison? Une fidélité que durant des années il avait admise comme un fait accompli? Un amour dont il se refusait à croire qu'il était total et absolu? Une période d'attente interminable?

En y réfléchissant, je suppose que c'est à la peur, au désespoir, à la jalousie et à une envie frénétique d'être rassurée que je dois de lui avoir écrit en lui lançant un défi : *Y a-t-il un sens à nous traîner ainsi, avec l'Atlantique entre nous? Pourquoi ne pas m'oublier et épouser ta jolie et brillante cousine? Ce qui ravirait ton grand-père, n'est-ce pas? et résoudrait la question de savoir qui reprendrait la clinique, quand il se retirerait.*

Qui étais-je pour défier le Destin? J'aurais dû avoir moins de fierté et plus de bon sens. J'offrais une « sortie » à Cecil. Pouvais-je le blâmer de l'avoir prise?

J'étais jeune, alors; trop jeune et sans expérience, et trop déçue aussi pour m'accrocher. Je n'avais pas le don de double vue et ne pouvais prévoir que mère allait disparaître dans l'année... et mourir...

... Selon les médecins, d'une pneumonie et d'une faiblesse cardiaque, mais à la vérité d'un non-désir de vivre.

2

– Pourquoi ne fais-tu pas quelque chose de ta vie? avait demandé Belle.

Quoi? m'étais-je répété. J'avais eu ma chance et l'avais rejetée. Pas intentionnellement, bien sûr, mais par l'ardeur même de mon amour et de mon impatience. J'attendais de Cecil qu'il ait conscience de mon désespoir et qu'il y réponde; qu'il affirme la force de son amour pour moi et réussisse à m'arracher à ma décision.

Rien de semblable ne s'était passé. Cecil avait écrit immédiatement et, avec un soulagement apparent, que même si ma décision l'avait peiné, il comprenait qu'il n'était que juste et raisonnable de me délier de mon serment. Il me souhaitait tout ce qu'on peut désirer pour un être et m'assurait de la pérennité de son amitié.

Belle s'était levée pour changer nos assiettes et revenait en apportant des coupes de salade de fruits et une jatte de crème. La salade aurait pu être délicieuse, mais elle avait dû geler dans le frigidaire au point de me paralyser la langue.

Tout en se servant un peu de crème, elle me demanda à brûle-pourpoint:

– Il t'arrive d'avoir des nouvelles des Decanter?

Je sursautai. Je ne m'étais pas attendue à cette question. Peut-être avait-elle par télépathie capté ma mélancolie intérieure. En ce qui me concernait, elle ne manquait pas de perspicacité.

– Ils ont écrit au moment de la mort de mère. D'ailleurs tu as vu leurs lettres, me hâtai-je d'ajouter. Puis j'ai eu une carte d'Angela, le Noël suivant. Mais rien depuis que nous avons quitté la petite maison. Sans doute ne savaient-ils plus où nous situer. Mais pourquoi me demandes-tu ça?

– Parce que je me suis posé des questions, me demandant si peut-être tu ne rechignerais pas à retourner à Saint-Cyriac de peur de rencontrer Cecil.

– Oh non! Ceci n'avait rien à voir avec lui. Cecil... dis-je l'esprit confus. N'est-il pas toujours à Montréal? Auprès de son grand-père?

Elle secoua sa tête blonde.

– Il a un cabinet en Sussex, à une trentaine de kilomètres à peine de Netherfield Green. Il lui arrive de venir à Saint-Cyriac, quand il y a de ses malades.

– Oh! dis-je d'une voix blanche. Oh! comment sais-tu?

– Parce que je suis restée en contact avec quelques amies que j'ai là-bas, répondit-elle d'un ton détaché. Et dernièrement, tout à fait par hasard, j'ai rencontré Angela, chez Harrods, en fait. De la manière insolente que tu lui connais, elle m'a invitée à prendre une tasse de café. Et j'ai accepté par pure curiosité. Elle n'avait pas l'air tellement bien, un peu vieillie et tendue. Rien de surprenant, je suppose. Le seul être qui ait jamais compté pour elle était son frère jumeau.

– Son jumeau? répétai-je d'une voix stupide. Aylward? Quelque chose est arrivé à Aylward?

– Comment! Tu n'as pas su? Mais tu as vraiment vécu au bout du monde! s'exclama Belle d'un air amusé. Il faut bien admettre qu'il n'y a pas eu beaucoup de publicité autour de l'incident. Des pressions, sans aucun doute.

– A quel sujet? Et par qui? (Je faillis m'étouffer avec un grain de raison aussi froid qu'un morceau de glace :) Je t'en prie, Belle, cesse de me contrarier! Dis-moi...

– Au sujet d'Aylward? Ou de Cecil? (Elle me lança un regard froid et pénétrant :) N'as-tu plus eu aucune nouvelle de tes amis intimes de jadis, depuis que Cecil s'est sauvé en te laissant?

– Il ne m'a pas laissée. C'est moi qui l'ai voulu. Je ne pouvais plus continuer à m'accrocher... (J'avais réussi à le dire :) Je pensais que son avenir était au Canada avec son grand-père et sa cousine. Je ne voulais pas gâcher ses chances.

– Tu n'avais pas le moindre espoir qu'il te dise jamais « viens », pauvre petite idiote! dit-elle comme si elle énonçait une évidence. Cecil n'a jamais rien éprouvé pour toi. Il n'avait qu'un objectif qui était de vous séparer, toi et Aylward. Il était visible qu'Aylward avait un faible pour toi, mais qu'il ne lui était pas permis d'y céder, le pauvre. J'aurais pu, il y a des années, être attirée par cet homme, mais je savais que c'eût été sans espoir. Il fallait qu'il épouse un sac. Toute la famille lui en avait rebattu les oreilles.

– L'héritière d'Aylward? C'était juste une plaisanterie, dis-je d'un ton d'impatience. Cecil et moi... Et puis, non, il n'y a aucune raison d'en parler maintenant! Les Decanter t'ont toujours ennuyée, c'est pourquoi je ne peux pas m'attendre à ce que tu comprennes.

– Les émotions te donnaient toujours des œillères, alors que très jeune j'étais déjà clairvoyante. Je n'étais pas facilement impressionnée par les prétentions et les ambitions et je rageais de voir la façon dont cette famille t'exploitait, dit Belle avec calme. Je savais qu'en définitive tu en sortirais meurtrie... mais que pouvais-je y faire? Tu te refusais à voir les feux rouges. Tu persistais à parer ces trois-là de tous les charmes; tu les auréolais.

– Pour moi, ils étaient merveilleux, et je les ai tous aimés, dis-je d'un air de défi. Tu as toujours été injuste envers eux, Belle. Mais pourquoi discuter de cela, à présent? Parle-moi d'Angela. Qu'a fait Aylward pendant tout ce temps?

– Tu ne l'as jamais revu depuis que nous avons quitté Netherfield Green?

– Non. Excepté à la T.V. Quand j'étais chez miss Henrietta, je regardais régulièrement les émissions sur les animaux sauvages; jusqu'au jour où un orage terrible a endommagé le poste, qui était d'ailleurs très vieux. Miss Henrietta a décidé qu'il ne valait pas la peine d'être réparé. Il avait besoin d'un nouveau transformateur.

– Tu as vraiment l'air décidée à te torturer à plaisir, dit Belle ironiquement. Enterrée dans la brousse sans même un poste de télévision! Si la vieille dame ne pouvait pas faire la dépense d'une réparation, je suppose qu'elle te payait un salaire de famine et te nourrissait à peine?

Malgré son ton de raillerie, et à ma grande surprise, dans ses yeux d'un bleu de glace s'alluma une lueur d'intérêt. Je n'avais jamais cru qu'elle pût être autrement qu'indifférente à tout ce qui me concernait. Peut-être l'avais-je mal jugée? Avec une personne aussi égocentrique et aussi réservée que Belle, il n'était pas facile d'apprécier ses réactions.

– Miss Henrietta avait un régime, mais la nourriture, si elle n'était pas très variée, était très suffisante, dis-je pour la rassurer. Elle me traitait comme sa fille, ou plutôt comme une petite nièce, et je pouvais me servir de la voiture. C'était un travail incomparablement moins dur que le tien – infirmière en salle d'opération!

– Le mien est très intéressant et plein de satisfaction. Comme ton amie Angela, je savais ce que je voulais, et je l'ai eu. D'après elle, son studio marche très bien et la presse lui achète une partie de son travail, dit Belle d'un ton détaché. Elle s'est tirée à bon compte de cette infortunée expédition, mais Angela s'en tire toujours. Est-ce qu'elle ne se vantait pas d'être née sous une bonne étoile?

– Tu t'en souviens? Quelque chose à voir avec les planètes? Et comme elles avaient changé durant l'heure qui précédait la naissance d'Aylward, il n'avait pas eu droit à la même chance! Je me souviens maintenant. Qu'est-ce que c'était que cette expédition malheureuse, Belle?

– Pour tourner un documentaire sur « l'Aigle Royal » filmé dans son milieu naturel. Une affaire de publicité, un coup d'épate financé par Harry Haylett, le magnat des nourritures congelées. Golden Eagle (Aigle Royal) est le nom d'une de ces marques, expliqua Belle. Les produits Golden Eagle vous assurent les records qui sont ceux de l'aigle royal. Tu connais ce genre de slogan?

J'approuvai d'un signe de tête.

– C'est tout Aylward, cette histoire d'aigle royal. Et qu'est-ce qui n'a pas marché?

– Mystère! Angela a été plutôt avare de détails. Il semble qu'une jeune femme de l'équipe ait fait une mauvaise chute et qu'Aylward en se précipitant pour lui porter secours aurait fait une culbute plus sérieuse encore. Pour une raison qui n'est pas très claire, ils se sont trouvés coupés du reste de l'expédition et n'auraient été retrouvés qu'au matin.

– Et Aylward a été blessé gravement? demandai-je le cœur serré.

– Très sérieusement. Mais il se remet. Il a été transporté récemment à Saint-Cyriac; sans doute pour être plus près de sa mère et de sa fiancée. Les Decanter ont toujours su tirer les ficelles, dit Belle sèchement.

– Sa fiancée?

– La fille des Haylett. Il a fini par trouver son héritière.

Pauvre diable, tout de même! répéta Belle avec une compassion inhabituelle. Entre sa mère et Angela, il n'a pas eu beaucoup de chances de s'affirmer. Son seul désir était de vivre à la campagne. Il n'était pas fait pour la célébrité, mais elles la voulaient pour lui. Elles avaient décidé qu'il ferait de l'argent ou qu'il en épouserait, pour renflouer la fortune de la famille. Elles ne comprenaient pas que l'ambitieux, ce n'était pas lui, mais Cecil.

— Il ne m'était jamais venu à l'idée que tu puisses être intéressée par Aylward. Et en tout cas, tu cachais bien ton jeu. Je me souviens de tes références mordantes à « Mr Brown » et le plaisir que tu prenais à le ravaler.

— C'était surtout pour ennuyer Angela. De même, j'aurais pu essayer de lui mettre la main dessus, pour la même raison, mais je savais que j'aurais perdu mon temps. C'est toi qui l'attirais, mais ceci, bien sûr, n'était pas permis. Le futur châtelain et la fille du maréchal-ferrant du village? Impossible à imaginer pour les Decanter, dit-elle mordante.

J'étouffai un soupir d'exaspération. J'avais éprouvé, à une ou deux reprises, comme la chaleur d'un lien familial. J'avais presque cru que Belle avait pour moi une affection réelle et ressentait quelques remords d'avoir aidé à me détacher de mon amour. J'avais été presque tentée de lui parler de l'avertissement de Mary Decointre.

Le fossé, qui nous avait séparées dans l'adolescence, se creusait à nouveau. Ses préjugés contre les Decanter étaient toujours aussi forts que par le passé; aussi forts que les tendres souvenirs qui me liaient à eux pour toujours. Je n'avais pas voulu continuer à aimer Cecil et cela parce que je supposais qu'il aurait dû depuis longtemps épouser sa brillante cousine. Je m'étais, en effet, efforcée de l'oublier. Ma vie de recluse auprès de miss Henrietta ne m'avait pas offert beaucoup d'occasions d'aventures romanesques, mais j'avais pris celles qui s'étaient présentées. J'avais eu une petite chose gentille et pas compliquée avec le jeune associé du docteur de miss Henrietta. Peut-être que si elle m'avait laissé « le cottage » qui était assez vaste, il en serait venu au fait. Il vivait dans un de ces garnis de célibataires dont le loyer même à l'époque était exagérément élevé, et sa propriétaire ne faisait pour lui que le strict minimum.

Il avait besoin d'une épouse et d'une maison à lui, ce jeune Dr Alistair McCanning, mais il était écossais, avait le nez creux et étudiait soigneusement tout avant de s'engager définitivement. J'avais apprécié sa compagnie et son amitié prudente. Je savais que je n'aurais pas à faire beaucoup d'efforts pour le persuader que nous pourrions faire équipe. Mais n'étant pas poussée par le désir impérieux de « l'épingler », je l'avais, au contraire, aidé à maintenir nos relations sur un plan strictement amical.

Je ne voyais aucune raison de me marier simplement pour être mariée. Je n'étais pas à ce point-là férue de la vie de famille. Je n'aspirais pas particulièrement à avoir un foyer, un mari ou des enfants. La seule chose dont j'avais soif, c'était d'éprouver à nouveau cet amour profond et dévorant que j'avais ressenti pour Cecil. Je n'imaginais pas un instant qu'Alistair McCanning pût jamais éveiller cette qualité d'émotion, même chez une fille sensible.

D'un point de vue romanesque, j'aurais sans doute eu plus de chances, s'il avait été plus à ma portée, avec le jeune Everton Gillard, l'homme d'affaires de miss Henrietta. Lors des quelques visites qu'il lui avait faites sur sa demande, il s'était montré charmant avec moi, et son intérêt n'était pas uniquement professionnel. A chacune de ses visites, il avait passé la soirée avec nous et était resté pour la nuit. Le dîner et le petit déjeuner, pris en sa compagnie, avaient été des plus agréables, ce qui témoignait d'un parfait contrôle de soi, ou de son intérêt pour moi. La chambre d'amis n'était qu'une petite mansarde sous l'avant-toit, avec un plafond à plan incliné sur lequel un garçon de la taille d'Everton était sûr de se cogner le crâne, et un lit de camp équipé d'un vieux matelas tout en bosses rapporté par miss Henrietta d'une vente d'objets usagés. Etouffante en été, cette petite pièce était glaciale en hiver. La plupart des jeunes gens, après une nuit passée dans de telles conditions, auraient certainement été très irrités.

— A quoi penses-tu? demanda Belle brusquement. Tu as, comme disait Aylward, ton air « de jardin secret ».

— On dirait que tu n'as rien oublié de ce qui touche à Aylward, dis-je d'un air entendu.

— Et pourquoi pas? Il a toujours été charmant avec moi. C'était les deux autres que je ne pouvais pas supporter. (Elle me jeta un coup d'œil pénétrant.) Je suis folle de fureur de savoir que tu soupires encore après cet égoïste fieffé de Cecil.

— C'est un joli morceau d'allitération, mais inexact, répliquai-je en m'efforçant de rester calme. Ta supposition est également inexacte, je peux te l'assurer. D'autres hommes ont traversé ma vie, même au fin fond de la campagne.

— Tels que? demanda-t-elle d'un ton incrédule.

Et c'est ainsi que, pour me justifier, je lui parlai d'Alistair McCanning et d'Everton Gillard.

— Ton cas est vraiment désespéré, dit-elle en plissant le front. Tu as vraiment de la chance d'avoir ce quelque chose d'indéfinissable, qui attire les hommes. Je dirai que chez toi c'est plutôt le cœur qui attire que le sexe. Mais... que fais-tu, dès que les choses commencent à marcher?... Tu coupes le courant. Une telle attitude ne permet aucun avenir.

– Et ton avenir à toi? Le commutateur est fermé en permanence, à ce qu'on dit.

– Au dire de qui?

– De gens que je connaissais quand nous avions la petite maison avec mère et qu'il m'arrive de rencontrer, dis-je, volontairement évasive. C'est agréable d'avoir quelquefois de tes nouvelles. Tu écris si rarement.

– Parce que je n'ai pas grand-chose à dire.

Son ravissant visage avait maintenant pris l'apparence d'un masque; ses yeux bleus regardaient vers le sol et, pour la première fois, elle me fuyait au lieu de me défier. Elle avait revendiqué le droit, en tant qu'aînée, de me catéchiser et de critiquer mon tempérament peu entreprenant et, évidemment, n'avait pas l'intention de me laisser faire de même.

J'avais pensé avec une certaine consternation qu'il y avait peut-être quelque chose de vrai dans ce qu'avait insinué Molly Drayon, au sujet de Belle et d'un des médecins consultants. Je n'osais interroger Belle, car elle aurait deviné de qui je tenais l'information et Molly m'avait fait promettre de garder le secret. Molly faisait partie du personnel infirmier de Belle. Sa famille avait vécu tout près de nous quand j'habitais la petite maison avec mère et, quand elle n'était pas de service, elle entrait souvent à l'improviste pour me donner un coup de main, ou pour rester auprès de mère pendant que j'allais faire des courses. C'était une femme rondelette, pas compliquée, de bonne humeur, et le soutien courageux de ses parents, gens vieillissants et assez difficiles à vivre.

J'imaginais qu'elle n'avait jamais dû avoir aucune espèce de vie personnelle. C'était sans doute pourquoi elle était restée en contact avec moi et pourquoi aussi elle s'intéressait tant à Belle et à ses admirateurs. Je me souvenais qu'au moment de mes fiançailles tout de moi l'avait intéressée de la même façon et, quand Cecil était parti seul pour le Canada, elle en avait été sincèrement désolée.

Si Belle était amoureuse d'un homme plus très jeune, et marié en outre, cela aurait dû la rendre plus humaine. Ou cette situation avait-elle l'effet contraire? Etouffait-elle ses sentiments, comprenant que s'abandonner à la passion la mènerait à une impasse?

– Bavardages! dit Belle après un silence. Chacun sait que les hôpitaux sont des foyers d'intrigues et de commérages, sans fondement la plupart du temps. Et voilà pour toi un potin qui ne circule peut-être pas encore là-bas... il se pourrait que je retourne à Saint-Cyriac.

– A Saint-Cyriac? Oh, Belle, mais pourquoi? Netherfield Green ne te manque pas à ce point?

– Oh Dieu non! J'ai toujours été reconnaissante de pouvoir échapper à cette atmosphère féodale et à tes chers Decanter, répondit-elle d'une voix acerbe. Ma décision est encore en suspens, mais j'ai eu une proposition intéressante de Saint-Cyriac. Infirmière en charge du nouveau service « Accidentés et Soins Intensifs » qui ouvre officiellement le mois prochain.

– Oh! dis-je d'un air ambigu. Mais... tu donnais l'impression de t'être fixée plus ou moins définitivement ici, et je croyais que tu t'y plaisais?

– Je t'accorde que Plymouth a ses bons côtés. Maynard's Heath est un peu en retard comparé à Plymouth. Saint-Cyriac m'offre un champ d'action plutôt plus vaste et j'ai toujours été en excellents termes avec l'infirmière-major, alors qu'il n'en est pas de même avec celle-ci. Elle est plus jeune et elle peut être assez chipie.

– Il faut qu'elle ait des griffes particulièrement aiguisées, pour être capable d'égratigner ta façade de glace sans tain.

– Merci, répliqua-t-elle. Mais elle est de verre et non pas d'acier inoxydable. Veux-tu encore un peu de café?

Je refusai d'un signe de tête. C'était un excellent café chaud et d'un merveilleux arôme, mais trop fort pour mon palais habitué au café « instantané » additionné de lait, que nous avions chez miss Henrietta.

– Il faut que je me sauve. J'ai un rendez-vous à 7 heures, dis-je.

– Avec ton ami homme d'affaires?

– Non. Je le verrai demain matin. Ce rendez-vous de 7 heures est au sujet d'un possible emploi. J'ai répondu à plusieurs annonces.

– Tu es désespérante, dit-elle pour la seconde fois. Tu n'as pas la mondre idée de la façon de t'occuper de toi – et je n'ai pas fait grand-chose pour t'y aider. Jouer les mères n'est pas mon fort et, de toute manière, tu ne m'as jamais écoutée. Pas depuis tes sept ans...

Son ton était un mélange de regret et d'amertume jamais oubliée, que toute évocation des Decanter était apte à réveiller. Je me sentis rougir.

– Je suis navrée, dis-je avec une note de remords dans la voix. Tout comme toi, j'étais d'une nature indépendante. Je rêvais d'appartenir, de faire partie d'une famille. J'adorais être au château et j'aurais voulu que tu y viennes, toi aussi.

– Tu étais trop jeune pour voir qu'Angela ne tolérerait pas une possible rivale. Je suis peinée pour l'héritière d'Aylward, dit Belle sèchement. Je ne serais pas autrement surprise si sa terrible chute avait été l'œuvre d'Angela. Je la vois très bien donner une petite poussée à cette malheureuse fille juste au bon moment. Crois-moi, si tu as le moindre bon sens, tu te décideras pour ce jeune docteur.

– Oui, j'espère que tu as raison, dis-je, au moins pour ce qui est d'Alistair. Mais pour ce qui est d'Angela, c'est une plaisanterie. Tu la vois exposer délibérément Aylward à un danger? Elle ne le ferait jamais.

– Je suppose qu'elle n'avait pas prévu qu'il risquerait sa vie pour essayer de sauver la fille.

– Tous ceux qui connaissent Aylward l'auraient prévu. (Je la regardai d'un air perplexe :) Pourquoi suspecter une chose aussi noire? Y a-t-il quelque élément permettant de supposer qu'il ne s'agissait pas d'un simple accident?

– Il y a, en effet, certaines indications.

– Telles que...?

– La réticence très particulière de la presse et des gens de la télévision. Le refus absolu de tous les membres de l'expédition de se prêter à aucune déclaration ou interview. L'air évasif et mal à l'aise d'Angela en me parlant de l'affaire. Les relations très tendues qui existent maintenant entre Harry Haylett et les Decanter, répondit Belle d'un ton sec. Il est évident qu'il y a un quelconque mystère. Non que ceci nous concerne le moins du monde, ou que nous risquions jamais de connaître le fin mot de toute l'histoire. Dans cette famille chacun couvrira toujours l'autre.

– Tu ne cesseras jamais de les calomnier...

– Et toi de les idéaliser, rétorqua Belle. Un gaspillage d'énergie révoltant. Comme si aucun d'eux se préoccupait de ce que toi ou moi pensons d'eux! Ils ne te reconnaîtraient sans doute pas, s'ils te rencontraient dans la rue.

– Angela t'a reconnue.

– Les gens se souviennent plus longtemps de leurs rivaux ou de leurs adversaires que de leurs admirateurs, surtout quand ceux-ci sont humbles. Ne nous querellons pas au sujet des Decanter, Connie. C'est trop tard pour cela. Ils ne peuvent plus avoir aucune importance pour nous, à présent. Quels sont tes plans dans l'immédiat? Rentres-tu en Cornouailles dès demain? Pourquoi ne passerais-tu pas un jour ou deux, ici?

3

Belle me croirait folle, pensai-je, tout en m'installant confortablement sur le divan de peluche rouge. Peut-être l'étais-je. Mon impossibilité à lui confier que j'avais rendez-vous avec Mary Decointre était-elle due justement au fait que j'avais conscience de ma propre folie, ou à un vague sentiment de culpabilité envers elle? Un peu des deux, avais-je supposé. Je me souvenais avec netteté du même sentiment obscur de culpabilité qui m'assiégeait dans le passé, quand je partais à cheval pour le château, laissant Belle à la maison. Je n'avais jamais refusé une invitation à cause d'elle. Elle n'avait pas davantage suggéré que je devrais le faire. Et toujours, cependant, j'avais eu conscience de cette division de ma loyauté, et honte au fond de moi de ce que les Decanter aient tellement plus d'importance dans ma vie que ma sœur n'en avait jamais eue.

Étant enfant, je me cherchais des excuses : « Belle s'en moque. Elle ne veut pas de moi. Je suis le cadet de ses soucis. Alors que pour eux, je compte... »

Sur ces deux points, j'avais été dans l'erreur. Belle n'avait pas été indifférente. A sa façon, réservée, elle s'était inquiétée de moi et s'en inquiétait encore. Les Decanter, qui avaient donné l'impression de m'avoir adoptée comme « une des leurs », avaient trouvé commode de se désintéresser de moi depuis que je n'étais plus dans leur voisinage immédiat. Pas même une carte au moment de Noël au cours des trois dernières années. N'avais-je donc pas la moindre fierté, pour désirer encore un contact avec eux? Pour n'avoir pu résister à l'impulsion de répondre à l'annonce de Mary Decointre qui demandait une « infirmière », dame de compagnie, sachant conduire et aimant vivre à la campagne?

Je n'avais pas à être assise ici, à la porte des appartements de Mary Decointre, attendant mon tour pour être interrogée. J'avais répondu à l'annonce en me servant de la machine à écrire de miss Henrietta et avais signé ma lettre « C. Smith ». Je pouvais, si je le voulais, disparaître aisément sans rencontrer Mary Decointre et sans nous infliger, à elle ou à moi, le possible embarras d'une rencontre.

Oui, mais alors il me faudrait me contenter des fragments d'information de Belle. Je ne saurais pas quels événements survenus entre Cecil et sa brillante cousine avaient bien pu le ramener en Angleterre d'une façon si inattendue. Je ne saurais pas, non plus, la gravité de l'accident d'Aylward ni si son héritière était encore prête, ou non, à l'épouser. J'ignorerais ce qui, dans l'état de Mary Decointre, nécessitait la présence d'une infirmière. Il ne m'était pas possible de m'en retourner en Cornouailles sans connaître la réponse à toutes ces questions.

D'une des portes en face de moi de la musique s'échappait. Radio? Ou un disque? Dans un ton mineur et un mouvement de batterie lent et obsédant, je reconnus une des dernières chansons,

> *Il y en a toujours un qui se souvient...*
> *Un qui se souvient...*
> *Un qui se souvient...*
> *Et un qui oublie.*

Les mots du refrain étaient comme un écho de mes propres pensées. « Un qui se souvient... »? Pourquoi devais-je être celle qui se souvient? Pourquoi m'était-il impossible d'oublier la façon calme, déterminée et possessive avec laquelle, il y avait de cela des années, Cecil avait dit : « Tu vas m'épouser... C'est une promesse... »? Et pourquoi ne pouvais-je oublier cette lueur qui toujours apparaissait dans ses yeux et éclairait son fin visage intelligent, dès qu'il parlait de ses plans d'avenir; notre avenir? Et pourquoi me rappeler avec cette douloureuse précision la chaleur de l'étreinte de ses mains, ou la pression de ses lèvres, au moment de la séparation?

Il avait dit sur un ton presque suppliant : « Fais en sorte que ce ne soit pas trop long, ma chérie. Débrouille-toi pour trouver une solution en ce qui concerne ta mère. Autrement, ton égoïste de sœur peut très bien se trouver forcée de te prendre ton tour. Je vivrai dans l'attente du jour où un télégramme de toi m'apprendra que tu es en route pour me rejoindre. »

Je l'avais cru. Naturellement que je l'avais cru. Pourquoi, après nos années d'une amitié si totale, et les longues fiançailles qui avaient suivi, aurais-je soudain commencé à douter de la sincérité de Cecil?

L'extravagante théorie de Belle, qui voulait que Cecil ne m'ait jamais aimée, mais n'avait eu d'autre objectif que me tenir à l'écart de son frère aîné, m'avait donné un coup, mais ne pouvait être prise au sérieux. Je ne parvenais pas à me souvenir qu'Aylward ait jamais montré que je l'intéressais personnellement. Dès le début, il m'avait traitée comme une petite sœur adoptive et c'était Cecil et moi qui toujours faisions équipe.

Oui. Cecil m'avait aimée. En le croyant, je ne me trompais pas. Il n'aurait jamais pris la décision de m'abandonner. C'était moi qui avais rompu nos fiançailles, dans un moment de déception, et inspirée par la jalousie et le désespoir. Peut-être n'avais-je pas prévu qu'il accepterait ma décision, mais je pouvais difficilement lui reprocher de n'avoir pas tenté le moindre effort pour m'amener à revenir sur cette décision.

« Espoir différé lasse le cœur... » et Cecil devait s'être lassé de ce qui risquait de devenir une attente interminable, avec l'Atlantique entre nous. Il avait très bien pu imaginer que mon amour s'était affaibli dans l'effort de cette attente, ou que je l'avais reporté sur quelqu'un de moins lointain.

– Il aurait pu essayer de savoir. Prendre l'avion pour venir te voir...

C'était ce que mère m'avait dit à l'époque. Et comme maintenant, ma réponse avait été hésitante.

– Pourquoi le ferait-il? Cecil est fier et sensible et n'est pas homme à contraindre une fille à l'accepter; il n'a jamais tenté aucune pression pour me faire respecter mon engagement.

Puis il y avait eu, aussi, la belle et brillante cousine toute prête, sans aucun doute, à se jeter dans ses bras. Et, cependant... il ne l'avait pas encore épousée, et n'avait pas encore repris la célèbre clinique. Au lieu de quoi, selon Belle, il était de retour en Angleterre et exerçait comme généraliste. Toujours célibataire? Toujours libre?

« Toujours un qui se souvient... » Les mots de nouveau harcelaient ma mémoire. Un disque, pas une radio... et quelqu'un venait de le remettre. Pourquoi? notai-je un peu irritée. Pourquoi? Comme chanson, c'était tout sauf vivifiant. Ce ne me semblait pas pouvoir être le choix de Mary Decointre. Le souvenir que j'avais gardé d'elle était celui d'une femme pratique qui avait les pieds sur terre et du genre « c'est bon! continuez et ne faites pas d'histoires ». Quand il lui arrivait d'avoir des soucis au sujet de

44

ses enfants, elle le laissait rarement voir. Elle avait coutume de rire, de façon gentille et tolérante, de l'attitude de ma mère envers moi.

– Qu'est-ce que c'est que quelques petites bosses ou quelques petites écorchures? Laissez un peu de liberté à la jeune pouliche, ma chère. Vous ne pouvez pas la garder toute sa vie dans une étable climatisée, s'écriait-elle quand ma mère se tracassait au sujet d'un gymkana à venir.

– Vous la trouvez téméraire et fougueuse? Je pense, moi, qu'elle est un modèle de discrétion, comparée à ma fille. Ne vous faites pas de souci! Les garçons veilleront sur Connie et vous la ramèneront entière.

Entière? Cette expression usée me fit grimacer. C'était vrai. J'avais eu ma part de chutes de cheval, mais ne m'étais jamais rien cassé. C'était mon cœur qui avait été irrémédiablement meurtri, mais cette sorte de dommage n'était pas aisément décelable.

La porte proche du divan s'ouvrit, puis se referma avec un bruit sec, comme si on l'avait claquée. Une infirmière en uniforme s'arrêta près de moi. Elle me parut jeune pour une infirmière diplômée. Elle avait une masse de cheveux épais plutôt blonds et en désordre entourant un visage plein comme celui d'un bébé, et son corps rondelet était plein de jeunesse.

– Vous pouvez entrer, me dit-elle (ajoutant en rejetant en arrière son abondante crinière) je suis plus que ravie de vous laisser la place. On ne m'avait pas parlé d'un cas mental. Ce n'est pas du tout de mon ressort.

– Un cas mental? répétai-je d'une voix blanche.

– Disons qu'elle est terriblement tendue et névrosée, si la vérité vous gêne. Un choc traumatique à ce qu'elle m'a dit. Je dirai que la fille est à mi-chemin du virage, et susceptible de donner du fil à retordre, précisa-t-elle. Croyez-moi, j'aurais pu la gifler. Une de ces sales gosses

45

de riches qui ont toujours eu des parents indulgents pour la couvrir. C'est mon impression.

– Quelle fille? dis-je hébétée.

Mais avec un reniflement et un mouvement de tête en arrière, pour secouer sa chevelure, elle disparut le long du corridor en se hâtant vers l'ascenseur.

Je me levai, pour m'étirer un peu. Je n'étais pas en uniforme. Je ne l'avais pas souvent porté quand je vivais avec miss Henrietta.

– Inutile d'annoncer que j'en suis à la dernière étape, avait-elle dit avec cet humour et ce courage qui me l'avaient rendue si attachante. J'ai l'intention de continuer jusqu'à la fin en menant une vie relativement normale aussi longtemps qu'il sera humainement possible. Pour cette raison, je vous présenterai donc comme ma petite nièce. Pas d'objection?

Je lui avais répondu que je préférais qu'il en soit ainsi. Je n'avais pas passé mes examens, à cause de l'accident de santé de mère, porter l'uniforme m'aurait paru une escroquerie. Nous avions l'habitude, en Cornouailles, de nous promener, miss Henrietta et moi, en sweater et en pantalon. Pour ce voyage, je portais un costume rayé vert sombre et noir, qui n'était pas nouveau, mais bien coupé et qui faisait ressortir le vert profond de mes yeux... « La couleur des feuilles de marronniers » comme avait dit Aylward lors de notre première rencontre.

La combinaison de ces yeux et de mes cheveux d'un brun roux était, je crois pouvoir le dire, difficile à oublier. Il était inutile d'espérer que Mary Decointre ne me reconnaisse pas. Dans un roman suranné de Rosa Nouchette Carey je me serais déguisée, en m'affublant d'une perruque noire et de verres teintés; méconnaissable, on m'aurait engagée sans me reconnaître, j'aurais prodigué mes soins au bien-aimé de jadis et lui aurais rendu la santé. Il serait tombé amoureux à nouveau de cette étrangère pourtant curieusement familière, et les cloches des noces auraient sonné à toute volée.

Jouer ainsi aurait pu être amusant, pensai-je, hésitant derrière la porte close. Seulement, il ne s'agissait pas de mon bien-aimé. Et même pas de sa mère, comme je l'avais deviné. A leur place, à moins que la précédente postulante ait divagué, c'était une jeune fille névrosée. Angela? Oh non! Impossible de se représenter Angela, avec son extraordinaire vitalité, victime d'un « choc traumatique ».

Dans les mots « Entrez, je vous prie! » lancés en réponse à mon petit coup à la porte, je reconnus incontestablement la voix de Mary Decointre. Née et éduquée au Canada, elle n'avait jamais perdu l'intonation traînante de l'Ouest.

En fait, les trois Decanter l'avaient eux aussi, quand j'avais fait leur connaissance. Angela dans les années qui suivirent avait délibérément perdu toute trace d'accent, et celui de Cecil avait disparu alors qu'il était encore adolescent. Seul, Aylward avait été réfractaire et continuait à parler comme s'il était toujours dans ce ranch canadien d'Alberta. Angela lui en faisait le reproche.

– Tu fais penser au héros dans un western de second ordre; le chic type au chapeau blanc à large bord qui monte le gros cheval blanc, lui avait-elle dit avec ironie. Pour l'amour du ciel, tu seras le châtelain un de ces jours! Un châtelain anglais, non un sheriff ou un Mountie (1). Tu as besoin de quelques leçons de diction.

Si elle avait réussi à l'en persuader, les résultats en avaient été nuls. Dans ses programmes de télévision, quel que puisse être le décor dans lequel il se tenait, ou la façon dont il était vêtu, Alyward immanquablement continuait à ressembler à un héros de western et parlait

(1) *Mountie* : police canadienne montée.

comme lui. Cette impression « de grands espaces » qu'il évoquait demeurait, pour moi, un de ses charmes. Je croyais deviner ce que pouvaient éprouver les spectateurs, s'apprêtant à le voir sauter sur son cheval ou portant la main à son revolver. Miss Henrietta avait été de mon avis.

– Il a, avait-elle reconnu, ce quelque chose d'indéfinissable... qualité star... personnalité... appelez cela comme vous voulez, qui fait qu'un homme se détache parmi les autres. N'importe quelle fille aurait un petit battement de cœur à être emportée sur sa selle.

L'accent traînant d'Aylward aurait toujours pour moi une note mélancolique. Et celui de sa mère aussi, comme je m'en rendis compte à cette minute. Elle vint au-devant de moi, la main tendue, toujours avec ce même sourire plein de chaleur éclairant son visage... et tout le temps qui s'était écoulé sembla s'être évanoui. J'aurais pu de nouveau être l'enfant qu'on accueillait au château.

Elle n'avait, pour ainsi dire, pas changé. Ses cheveux sombres avaient simplement grisonné, son visage attrayant et expressif avait gagné quelques petites rides, et sa fine silhouette nerveuse s'était faite plus mince encore, mais j'avais peine à croire que je ne l'avais pas vue depuis plus de cinq ans. Et quand elle me serra la main, la pression de ses doigts minces et forts était exactement comme je me la rappelais.

– C'est si gentil à vous d'être venue, dit-elle en jetant un coup d'œil à ma lettre. Miss Smith, c'est bien cela? Miss C. Smith?

Puis elle me regarda et ses beaux yeux bleus-gris s'ouvrirent tout grands d'étonnement.

– Mais... c'est Connie! La petite Conker, comme les garçons avaient coutume de vous appeler. Quelle surprise, ma chère! Une surprise très agréable... surtout après quelques-unes des infirmières venues se proposer. Mais...

j'imagine que vous ne vous chargez pas de malades privés. Asseyez-vous et parlez-moi de vous.

Prenant ma main dans la sienne, elle me fit asseoir près d'elle sur un petit canapé devant lequel fonctionnait un radiateur électrique. La chambre était meublée de façon convenable, dans ce style impersonnel qui caractérise les hôtels moyens, mais déjà Mary Decointre était passée par là, la rendant moins anonyme.

Un imperméable, une écharpe, une paire de gants, ainsi que quelques magazines et un journal étaient éparpillés tout autour de nous et, sous le canapé, une paire de souliers de marche avait été mise à sécher, sans doute. Sur la table, un plateau avec deux tasses ayant servi et un cendrier plein jusqu'au bord de mégots de cigarettes voisinaient avec une cruche dans laquelle on avait jeté une brassée de longues tulipes de toutes les couleurs. Près d'elle, sur le canapé, il y avait une pile de lettres d'aspect un peu froissé, à laquelle elle joignit la mienne.

– Comme c'est donc bon de vous revoir, bien que je devrais être furieuse contre vous! dit-elle avec un mouvement de tête qui lui était particulier. Vous avez causé beaucoup de chagrin à mon pauvre Cecil. Je sais le souci qu'était le problème de votre mère, mais votre sœur était responsable d'elle, tout comme vous. Pauvre Linda! Elle m'a manqué terriblement quand Belle vous a emmenées si brusquement dans le Devonshire, vous escamotant presque. J'espère qu'elle n'a pas souffert?

Nous parlâmes pendant quelques instants de mère, puis Mary Decointre soupira, me disant :

– C'est dur d'être sans mari, alors qu'on est encore relativement jeune et active. La plupart d'entre nous cependant se débrouillent pour continuer, à cause de nos familles. Si Linda avait eu un fils, je ne crois pas qu'elle aurait renoncé à lutter aussi facilement... Belle n'avait jamais, en rien, besoin de sa mère... et quant à vous, vous nous aviez. Linda m'accusait parfois, en jouant bien sûr, d'avoir pris possession de vous pour compléter la famille que nous souhaitions, deux garçons et deux filles.

– J'avoue que j'avais toujours le sentiment d'être des vôtres, dis-je.

– Il en était de même pour nous. C'est pourquoi nous avons tous été passablement blessés par cette espèce de mise en scène de disparition après la mort de Linda.

– Une mise en scène de disparition? répétai-je perplexe. Je n'ai pas disparu. Nous avons simplement abandonné la petite maison que nous avions louée pour mère. Belle préférait prendre un appartement plus proche de l'hôpital. Quant à moi, ayant trouvé un emploi en Cornouailles, j'y suis restée depuis.

– Nous vous avons écrit, à la petite maison, et nos lettres sont revenues avec la mention « adresse inconnue ». Nous avons alors écrit « aux bons soins » de votre sœur, et ces lettres sont demeurées sans réponse.

– Je ne les ai jamais eues. Après vos lettres de sympathie, je n'ai plus rien su de vous.

Il y eut un court moment de silence embarrassé. Je pensais, avec une indignation croissante, que Belle avait dû délibérément faire disparaître ces lettres. Elle ne pouvait pas ne pas les avoir reçues. Comment avait-elle osé me priver de ces lettres? Elle ne pouvait pas ignorer que mon plus cher désir était de reprendre contact avec les Decanter et que, seule, la fierté m'empêchait de faire le premier pas.

– Comme c'est étrange, finit par dire Mary Decointre en fronçant ses beaux sourcils sombres. L'idée ne m'est jamais venue à l'esprit. Nous pensions que vous étiez probablement fiancée ou mariée... et n'aviez aucune envie de nous le dire.

– Non, rien de tout cela. Je m'occupais tout simplement

d'une personne à demi invalide. Je n'avais pas envie de retourner à l'hôpital.

Elle eut un petit mouvement de la tête, comme pour dire qu'elle avait compris... et le silence retomba, pesant. Lui jetant à nouveau un coup d'œil rapide, je me rendis compte que l'âge l'avait davantage marquée qu'il ne m'avait semblé à première vue. Quand le sourire n'éclairait pas son visage, ses traits paraissaient tirés et, au repos, ses épaules avaient tendance à s'affaisser. La vitalité intense qui l'habitait autrefois semblait l'avoir quittée.

– Vous avez été malade? me risquai-je à demander. Vous avez besoin de soins?

Elle secoua la tête d'un air impatient.

– Pas malade, mais simplement épuisée par les soucis, comme dit notre médecin. Vous vous souvenez, bien sûr, du Dr Coburn MacDonald? C'est lui qui a insisté pour que j'aie auprès de moi une aide capable, si je ne voulais pas risquer de m'écrouler. Et dans la situation actuelle, je ne peux pas m'offrir le luxe d'être alitée.

– Une aide? répétai-je sur un ton d'interrogation.

– Pour Katy. C'est une sérieuse responsabilité, et je ne m'en tire pas très bien. Je n'ai aucune expérience quand il s'agit d'enfants gâtés, d'enfants à problèmes. Il est visible qu'elle me trouve peu compatissante... et je suppose que c'est vrai.

Se levant d'un de ses mouvements rapides et nerveux, elle se dirigea vers un petit buffet.

– Puis-je vous offrir à boire? demanda-t-elle par-dessus son épaule. Un scotch, ça vous va?

– Oui, mais très léger, je vous prie. Je conduis.

Je notai avec appréhension que ses mains tremblaient tandis qu'elle versait le whisky dans les verres. Elle ajouta un peu de soda dans le plus faible, qui m'était destiné mais pas dans l'autre qui contenait une sérieuse rasade.

Consciente que je l'observais, elle dit sèchement :

– Je bois et je fume beaucoup trop en ce moment. Un résultat de la tension dans laquelle je vis. Si seulement cette malheureuse fille ne s'était pas querellée avec son père et ne m'était pas retombée sur les bras...

– Quelle fille?

– Katy, Katy Haylett. Ma future belle-fille. Du moins elle l'était... Maintenant... je ne sais plus... et elle pas davantage.

Elle me tendit mon verre et s'écroula à côté de moi, tapotant le sien d'un doigt nerveux.

– Pour Aylward, ce semblait la grande chance... fille unique et héritière de Harry Haylett, le Roi des Nourritures de la mer, gentiment jolie et amoureuse folle d'Aylward, poursuivit-elle d'un ton saccadé. L'idée qu'elle était peut-être un peu jeune et mièvre pour lui, et aussi pas particulièrement brillante, ne m'avait jamais traversé l'esprit; mais comme disait Angela, avec tout l'argent qui l'attend, elle peut se passer d'être intelligente... et on ne peut pas dire d'Aylward qu'il est un intellectuel.

Je me souvenais de l'insinuation de Belle, que sa mère et sa sœur avaient fait pression sur Aylward. Avaient-elles manœuvré pour qu'il se fiance avec une jeune héritière? Mais... il n'était plus un enfant pour accepter de se laisser mener ainsi par les femmes de la famille.

Je rétorquai impulsivement :

– Peut-être pas un intellectuel, mais il possède une solide culture en histoire naturelle, et il a le chic pour déchaîner l'enthousiasme des spectateurs.

– Ses programmes ont été gênés par le manque de fonds. Mais, avec le support de Harry Haylett, il devrait pouvoir produire quelques documentaires de grande qualité. Si seulement Katy n'avait pas tant insisté pour faire partie de cette expédition... (Ses sourcils se froncèrent.) Cette petite chose sotte et entêtée! Je suis presque certaine qu'elle a été responsable de cet accident, bien qu'elle se refuse, bien sûr, à le reconnaître.

– Et que dit Aylward?

– Rien. C'est bien ce qui est inquiétant. Il a été gravement contusionné et il en a gardé une sorte d'amnésie partielle. En ce qui concerne l'expédition, il en a presque tout oublié...

– Oh? C'est très gênant, bien sûr, mais ce n'est probablement que momentané, dis-je, me demandant pourquoi elle semblait si soucieuse. C'est souvent ainsi... un trou de mémoire... qui ne dure pas.

– Je le sais, et point n'est besoin d'en faire une tragédie, mais vous, les jeunes, vous êtes si impatients, fit-elle d'un air agacé. Vous ne pouvez jamais attendre, pour quoi que ce soit.

– Je ne peux pas? dis-je abasourdie, me souvenant avec un pincement au cœur comme j'avais pu attendre pour Cecil.

– Je ne parle pas de vous, mon enfant. Pas de vous, personnellement. Mais de ceux de votre âge, dit-elle en montrant, d'un petit mouvement de tête, la porte intérieure. Vous entendez?

De nouveau, le même disque sur l'électrophone.

– La chanson de Katy. « One who remembers... (1). » Je finis par avoir les nerfs en boule avec ce disque qui tourne du matin au soir, dit-elle d'un air excédé.

– Katy? Elle est ici?

– Oui, bien sûr. Ne vous ai-je pas expliqué? C'est pour elle que je cherche une garde-malade. Je ne peux vraiment plus faire face toute seule à cette enfant qui s'accroche à moi.

– Est-elle malade?

– C'est une question de point de vue. Elle a eu une

(1) Fidèle à un rêve.

légère pneumonie due au choc et au fait de son exposition aux intempéries, mais le problème maintenant est affectif. Elle a des cauchemars et des crises de larmes. (D'un geste distrait, Mary repoussa les cheveux grisonnants qui tombaient sur son front :) Cecil dit qu'elle a subi un traumatisme et qu'elle a besoin d'être traitée avec de grands ménagements. J'ai l'impression qu'elle se conduit en enfant gâtée. Son père qui partait pour les Antilles en voyage d'affaires voulait l'emmener avec lui pour sa convalescence. Irait-elle? Oh, non! Il fallait qu'elle reste près d'Aylward.

— Je peux comprendre cela.

— Si elle avait vraiment eu à cœur les intérêts d'Aylward, elle aurait cherché à être agréable à son père, au lieu de se quereller avec lui, et de se mettre dans cet état au sujet d'Aylward, dit Mary d'un air triste. Elle n'est vraiment pas raisonnable. Au retour de chaque visite que nous faisons à Aylward, elle en sort dans un état de dépression terrible et bourrée de remords... et j'en arrive à redouter quelque chose de grave.

Voilà donc ce qu'avait voulu dire la jeune infirmière rondelette en parlant de cas mental.

— Je suis désolée. Mais pensez-vous que je pourrais être utile?

— Ce serait un grand soulagement pour moi, si vous aviez le cran de faire un essai, répondit-elle sans l'ombre d'une hésitation. Je crains que vous ne retiriez pas beaucoup de satisfactions d'une telle tâche, excepté sur le plan financier. C'est le père de Katy qui se charge de régler tous les soins, ce qui fait que vous pouvez plus ou moins fixer vos exigences. Il faudra beaucoup, beaucoup de patience, et une surveillance de tous les instants...

Redouter quelque chose de grave... Surveillance de tous les instants... Ces deux phrases tout d'un coup expliquaient le drame, et je compris pourquoi Mary Decointre avait cet air tendu et inquiet.

– C'est à un suicide possible que vous faites allusion? Mais... si elle adore Aylward et s'il est en bonne voie de guérison, pourquoi penserait-elle à une chose pareille?

– C'est que nous ne savons pas encore au juste jusqu'à quel point il se remettra. Il peut garder une petite... infirmité. C'est ce à quoi cette enfant ne cesse de penser. Et bien sûr, ce qui la désespère, c'est le fait qu'il ne la reconnaisse pas.

– Oh! (Effrayée, je retins mon souffle.) Il l'a oubliée? Sa fiancée?

– Katy, son père, l'expédition et pratiquement tout ce qui s'est passé depuis l'an dernier. Katy en fait un drame personnel, et le prend très à cœur.

– Rien de surprenant à ce que vous ayez l'air fatiguée et tendue! dis-je d'un ton compatissant. Tout ceci a dû être vraiment sinistre pour vous. Je vous demande de me laisser voir si je peux vous décharger de ce fardeau.

– Je vous en serais reconnaissante, si elle est d'accord. C'est à elle que revient la décision finale, et il n'est pas facile de lui plaire. Aucune des postulantes n'a jusqu'ici réussi à la satisfaire... trop jeune, trop âgée, trop autoritaire, trop terne, trop froide et dure... ou trop empressée... (Elle acheva de boire son whisky et se leva comme si elle avait retrouvé quelque chose de sa légèreté d'antan.) Je viens peut-être de me montrer un peu injuste, car il faut bien avouer que parmi celles qui se sont présentées, quelques-unes étaient vraiment désespérantes, mais je suis au bout du rouleau. Jamais, jusqu'ici, avec personne, je n'avais eu à faire preuve de patience, de contrôle et de vigilance, avoua-t-elle avec une touchante franchise. J'ai toujours été moi-même, naturelle et spontanée avec ma nichée.

– Et avec moi. C'est pourquoi j'aimais tant être au

château. Vous ne grondiez jamais pour que nous soyons plus silencieux.

Un élan d'affection m'avait gagnée, emportant dans sa force tous les avertissements de Belle. Quels que soient les arguments qu'elle pourrait imaginer pour me prouver le contraire, j'avais une dette envers les Decanter pour ces jours heureux passés auprès d'eux, et voilà que l'occasion s'offrait de m'en acquitter.

4

J'avais hérité de ma grand-mère paternelle tous les livres qui avaient enchanté son enfance et, entre autres, *Les aventures de Katy*. Dès que j'avais su lire, j'avais littéralement dévoré tous ces livres et la Katy de ces « aventures » était, pour moi, une réalité, et ce nom dans mon esprit était associé à des images bien précises.

Rien cependant ne pouvait être plus éloigné de mon image mentale d'une « Katy » que la jeune créature étalée sur un lit immense, comme une poupée oubliée. Elle n'avait pas les jolies joues rondes et roses d'une poupée coûteuse, bien qu'elle en eût la chevelure, les longs cheveux blonds de lin et les yeux de myosotis.

Blonde, frêle et semblable à une fleur furent les qualificatifs qui me vinrent tout d'abord à l'esprit. Sa peau avait la pâleur et la matité des pétales de certaines fleurs, et on avait l'impression que des mains un peu rudes, si elles l'avaient saisie, l'auraient meurtrie et fanée. Ses épaules étaient noyées sous une masse de longs cheveux pâles en désordre. Des traces de larmes étaient encore visibles sur ses joues, et sous ses yeux, de grands cernes noirs. Un romantique l'aurait décrite en disant : « Elle avait l'air, dans cet immense lit, pathétiquement grêle et perdue. » En ce qui me concernait, même en l'examinant hâtivement, elle ne m'avait pas semblé pathétique. Ce qui m'avait frappée en la regardant, c'était son air malade, et son extrême nervosité. J'avais remarqué qu'elle avait pris le soin de remonter sur elle le gros édredon bleu et que tout près d'elle, sur une table, il y avait une boîte de menthes à la crème dont il ne restait que la rangée du dessous. Une fille qui songeait à se suicider penserait-elle à monter son édredon pour ne pas prendre froid et mâcherait-elle des menthes à la crème? Je ne le pensais pas. Mon expérience des malades névrosés était, il faut l'admettre, assez limitée, mais j'avais peine à associer bonbons à la menthe et remords obsédants. Les menthes étaient pour moi une confiserie des plus appétissantes et réconfortantes.

Ayant murmuré quelques mots de présentation, Mary Decointre avait regagné le petit salon. Elle avait fermé la porte de communication derrière elle, mais comme cette porte était en verre, je crus la voir près du buffet se verser un autre verre.

D'une voix lasse, Katy avait dit :

– Comment allez-vous?

Puis elle s'était replongée dans son mutisme. Elle m'observait avec circonspection derrière un écran de cils noircis au mascara. Je pensais qu'elle était encore une adolescente. Je n'avais pas l'intention de me laisser décontenancer par une fille tellement plus jeune que moi. Sans y être invitée, je m'étais assise au bout du lit, la scrutant du même regard froid. *Le silence peut être une arme aussi bien qu'un bouclier*. C'était un des proverbes de miss Henrietta et je l'avais enregistré. J'étais là pour être interviewée et non pas pour interroger, et je n'allais pas me hâter de parler.

M'asseyant plus confortablement, j'essayai d'analyser Katy Haylett, comme aurait fait miss Henrietta quand elle introduisait un nouveau personnage dans un de ses romans. Habillée, coiffée et arrangée, on aurait dit de Katy qu'elle était « ravissante » décidai-je. Elle n'avait pas cette précision des traits qui faisaient de Belle une beauté classique. Je n'imaginais pas qu'un homme puisse songer à la surnommer « la Belle Blonde ». Le nez de Katy était court et légèrement retroussé. De même sa lèvre supérieure courte, elle aussi, laissait apparaître une rangée de dents petites et irrégulières, la lèvre inférieure était assez mal dessinée et son menton était joliment pointu.

– Alors? demanda-t-elle, l'air irrité. N'avez-vous rien à me dire?

– Beaucoup de choses! Excusez-moi! J'étais dans mes pensées, répondis-je.

– A quoi pensiez-vous? Vous me fixiez.

– Eh bien, je pensais, en vous regardant, que l'air abattu ne vous allait pas, lui dis-je avec franchise. Votre type est beaucoup plus genre gamine que lys flétri, vous ne pensez pas?

– Abattue? répéta-t-elle comme si ces mots lui étaient étrangers. (Elle fronça le nez d'un air de dégoût :) Abattue? Voilà qui paraît horrible... et follement démodé.

– Oui. Je suppose que c'est très démodé, je vous l'accorde. Cela va avec les « cils palpitants sous les larmes, comme sous la rosée du matin, et les yeux qui ressemblent à des mimosas inondés », et le genre d'héroïne qui peut paraître chavirante quand elle pleure au lieu d'avoir le nez rouge et la peau irritée, comme la plupart d'entre nous...

– De quoi diable parlez-vous? Quelle héroïne? Vous moquez-vous de moi?

Il y avait dans son ton un mécontentement un peu enfantin. Je me rappelai que Mary Decointre ne considérait pas Katy comme une fille particulièrement brillante.

– Désolée, dis-je. Juste avant vous, je me suis occupée

d'une romancière. Je lui servais de secrétaire et j'ai été très intéressée par sa façon de voir ses personnages et de les décrire.

– Une romancière? Très connue?

– Assez connue – à en juger par là vente de ses livres. C'était Henrietta Pearson.

– J'ai lu quelques-uns de ses livres. Très bons. Je n'aime pas les histoires sinistres. Et vous? Pourquoi n'êtes-vous plus avec elle?

– Elle est morte.

– Oh? De quoi?

– L'âge – elle avait plus de quatre-vingts ans – et de graves problèmes cardiaques.

– Est-ce que vous... je veux dire, êtes-vous bouleversée quand les gens meurent?

– Naturellement. Mais ma peine est fonction des circonstances. La mort n'est pas toujours une tragédie. C'est parfois une délivrance... une porte ouverte.

– La mort me terrifie. Vous savez que j'ai failli mourir. Mrs Decointre vous l'a-t-elle dit?

– Elle m'a simplement dit que vous aviez eu un grave accident, et une pneumonie...

– Cet accident a été un cauchemar. Un affreux cauchemar dont je n'arrive pas à sortir. Je ne peux pas m'en remettre. Je ne m'en remettrai jamais, cria-t-elle d'une voix altérée, les lèvres tremblantes. Il m'est impossible de dormir sans revoir toute la scène. Cette secousse soudaine et cette chute dans l'espace avec la sensation que tous mes os se brisaient... et ensuite cette nuit interminable où je n'osais pas bouger, et où je ne savais pas si Aylward était vivant ou mort. Personne ne peut imaginer ce qu'a été cette nuit...

– Certainement une expérience effroyable... (Spécialement, pensai-je, pour une enfant gâtée qui peut-être n'avait jamais connu avant de vrai chagrin, ou de réelle

inquiétude, sans parler de souffrances ou de terreur.) ...
L'horreur s'évanouira avec le temps. Vous n'oublierez
pas, mais les choses seront moins vivaces.

– Voilà qui est différent! (Les yeux bleus s'ouvrirent
tout grands, semblant me considérer avec bienveillance.)
Toutes les autres avaient dit : « N'y pensez pas. Oubliez.
C'est fini maintenant. » Seulement... pour moi ce n'est
pas fini. Pouvez-vous le comprendre?

– Parfaitement. Parce que, moi aussi, je ne suis pas
quelqu'un qui oublie facilement. (Involontairement, je
jetai un coup d'œil au somptueux tourne-disques portable
posé près des menthes à la crème.) J'ai bien peur d'être
une de celles qui se souviennent. J'ai une mémoire
photographique d'une précision douloureuse.

– Oh? Et il y a des choses que vous souhaitez
oublier?

– Un certain nombre. J'essaie de ne pas les laisser me
hanter, mais, de temps à autre, quelqu'un ou quelque
chose déclenche le commutateur, et c'est alors comme si
j'étais contrainte de voir se dérouler devant mes yeux le
film du passé.

Cela, je ne l'avais jamais dit à personne, si ce n'est à
Cecil, il y a des années, et il n'avait pas semblé comprendre ce que j'avais voulu dire. Ce n'avait certes pas été
mon intention d'en parler à cette étrangère. Mais les mots
m'avaient été comme arrachés... par son besoin désespéré.

Elle était le type de jeune fille qui, tout naturellement,
dramatise et exagère ses symptômes. Ceci, je l'avais
compris instantanément. Mais j'avais également identifié
une terreur sincère et quelque chose proche du désespoir, qu'elle s'efforçait de cacher.

– Oh! dit-elle à nouveau (et son teint cireux se colora
légèrement). Oh, oui! C'est cela. Vous comprenez... vraiment. C'est comme un film, dont quelques-unes des

scènes sont floues. Je sais que je vois une main... qui essaye de m'atteindre pour me pousser... mais je ne peux pas identifier cette main. (Elle se tut, les doigts appuyés sur ses lèvres dans un geste enfantin, ses yeux bleus scrutant mon visage. Puis elle poursuivit d'un air de défi :) Ils vous diront que c'est une sottise... que j'ai glissé et que, souffrant d'un complexe de culpabilité, il faut que je blâme quelqu'un d'autre. Ce n'est pas vrai. Je n'ai pas inventé cette poussée brusque au creux du dos. Je la sens encore. Vous devez me croire.

Je hochai la tête lentement. Je venais de penser que si, par extraordinaire, quelqu'un lui avait vraiment donné une violente poussée dans le dos, il lui aurait été humainement impossible de voir quelle main l'avait fait. Son imagination avait dû ajouter cette partie du « play-back ». Je ne formulai cependant pas cette conclusion, ne tenant pas à arrêter net ses confidences.

J'étais entrée dans cette chambre sincèrement navrée pour Mary Decointre et désireuse d'alléger sa tâche. Je m'apercevais maintenant que le besoin qu'avait Katy d'être aidée était tout aussi urgent, mais que, probablement, il serait plus difficile d'y répondre. Le genre de garde-malade vigoureuse, à l'esprit pratique, qui lui répéterait : « N'y pensez pas. Oubliez tout cela », ne ferait que l'inciter à se replier sur elle-même pour ruminer et pour finir par se perdre dans une confusion de peur et de soupçons.

C'était à Katy qu'allait maintenant ma compassion. Rien dans sa courte vie passée ne l'avait préparée à affronter les agressions et les tortures d'émotions dévastatrices. Je n'étais pas une infirmière-née, comme l'était Belle, avait dit mère, mais j'avais hérité d'un certain don, celui de comprendre le mécanisme de l'esprit humain. C'était de mon père plus que de ma mère que je devais le tenir. Mère était surtout intéressée par les maux physiques, alors que père, lui, allait en profondeur et voyait ce qui se passait dans les êtres.

Je sentais que Katy luttait pour m'atteindre, s'accrochant à moi comme à une bouée de sauvetage, bien qu'elle soit demeurée presque immobile. Une partie de ma personne se contractait, refusant le contact, se rappelant tardivement les avertissements de Belle : « Ne t'occupe pas de cette enfant et reste à l'écart des Decanter. Tu n'y gagneras que de nouvelles souffrances... Oublie-les... »

Puis l'autre partie de moi me répétait avec insistance : « Tu n'oublieras jamais, tu le sais, alors pourquoi perdre ton temps à essayer encore? Cette enfant a un besoin désespéré qu'on l'aide, et tu as une dette envers les Decanter. Et si les choses ont mal tourné entre toi et Cecil, Aylward n'y était pour rien. Il t'a toujours traitée de façon gentille et chevaleresque. Quel mal cela te fera-t-il de venir en aide à celle qu'il aime... même si tu y laisses quelques plumes, tu n'as pas peur d'une petite peine? »

– Pourquoi ne répondez-vous pas? Me croyez-vous ou non? demanda Katy. Peut-être vous ont-ils dit que j'avais perdu la boule?

Je secouai la tête.

– Certainement pas. Pour quelle raison ne vous croirais-je pas? Vous êtes seule à savoir si votre pied a ou non glissé.

– J'ai glissé, mais parce que j'ai reçu ce coup dans le dos qui m'a déséquilibrée. Aussi... je ne vois vraiment pas pourquoi je devrais me sentir coupable. Je ne pouvais empêcher ma chute.

Son ton avait quelque chose de fiévreux et dans ses yeux une lueur s'était allumée. On avait l'impression que son front était moite. Je me demandai, inquiète, si Katy n'avait pas une forte température.

– Un accident est une chose dont personne n'est directement responsable, lui répondis-je lentement. C'est pourquoi il est vain et inutile de se répéter « si seulement », bien que ce soit, je suppose, la réaction commune à beaucoup de gens. J'ai assisté à l'accident... qui a tué mon père. Un cheval a rué juste au moment où père se baissait pour le ferrer, et il l'a frappé en pleine tempe. Je n'ai cessé, après coup, de me répéter : « Si seulement j'avais tenu ce cheval, il ne se serait pas cabré si brusquement. Si seulement je l'avais surveillé, j'aurais pu crier à père de prendre garde. Ou si je n'avais pas été occupée à parler avec Angela, elle aurait regardé ferrer son cheval... »

— Angela? répéta-t-elle. Angela Decanter?

— Oui. C'était son cheval. Mon père avait la forge de Netherfield Green, en ce temps-là.

— Ah! Je comprends maintenant pourquoi Mrs Decointre a dit en vous présentant « miss Smith... une amie de longue date de la famille... ». Ainsi vous êtes une amie d'Angela? Et d'Aylward?

— Je l'étais alors que nous étions enfants. Je n'ai pas revu Angela, ni Aylward, ni Cecil, depuis plus de cinq ans. C'est tout à fait par hasard que je suis tombée sur l'annonce de Mrs Decointre.

— Alors... comment croire que vous ne ferez pas équipe avec eux contre moi?

— Mais... pourquoi, de toute façon, se ligueraient-ils contre vous? N'êtes-vous pas la fiancée d'Aylward? demandai-je d'un air perplexe.

— Je l'étais... (Ce qu'il y avait d'intense et de fiévreux dans son regard disparut soudain sous les larmes, des larmes qui noyaient ses yeux et ruisselaient sur ses joues.) C'était, c'était merveilleux. Je n'avais jamais connu de pareil bonheur. C'est bien simple, je l'adorais. Il était si gai, si amusant. Et dire que maintenant... il ne me reconnaît même pas... c'est affreux...

— Ne pleurez pas, dis-je machinalement. Les larmes

n'arrangent rien. Je ne les ai même jamais considérées comme un soulagement, car j'y ai toujours gagné d'horribles migraines. De plus, je ne vois pas pourquoi vous pleureriez sur Aylward. Il n'est pas mort et il ne vous a pas quittée pour une autre fille. Son amnésie n'est qu'un accident temporaire, et tout est supportable si l'on sait que ce n'est que momentané.

Clignant des paupières, elle attrapa un mouchoir, une petite boule toute trempée, dont elle frotta ses yeux, puis m'adressa un sourire encore noyé de larmes.

– Vous me plaisez. Vous êtes différente, dit-elle ingénument. Pas du tout comme une infirmière. D'une certaine manière, plus humaine. Resterez-vous auprès de moi? Sans vous fâcher si je vous réveille la nuit par mes cris? Et vous ne me forcerez pas à avaler des somnifères? Ils ne font qu'augmenter mes cauchemars.

– Oui, je ne crois pas que les somnifères vous conviennent. A moi non plus, d'ailleurs. Ils me donnent de mauvais rêves. Je le sais parce que j'ai essayé d'en prendre en un temps où je n'arrivais pas à dormir. J'ai fini par préférer rester étendue, éveillée.

– Je préférerais moi aussi! Je vois que vous comprenez vraiment, dit-elle comme si elle éprouvait un réel soulagement. Pouvez-vous rester ce soir? Vous coucherez dans la chambre d'à côté, celle de Mrs Decointre, et elle s'installera dans une autre. Elle n'y verra pas d'inconvénient et elle sera soulagée. Elle ne m'aime pas beaucoup. Elle est à bout de nerfs et mon état la pousse à boire.

C'était dit avec une telle naïveté et un tel sérieux que j'éclatai de rire. Elle me regarda de travers pendant un instant, puis soudain laissa échapper un petit rire nerveux.

– Ça semble drôle... mais c'est vrai. Elle ne cesse de s'envoyer de grandes rasades de whisky et j'ai conscience que c'est de ma faute. Je lui tape sur les nerfs, ajouta-t-elle. Elle aimerait pouvoir me gifler, je le sens, et je souhaiterais presque qu'elle le fasse. C'est atroce de sentir qu'on est charmant avec vous et qu'on vous tolère, simplement parce que vous avez beaucoup d'argent.

– J'imagine volontiers. Seulement ce n'est pas vous qui êtes riche mais votre père.

– Oh! Père est du genre qu'on dit « puant » parce qu'il a un argent fou! Je ne suis pas riche, mais j'ai un petit capital à moi qui me vient de ma mère. C'est elle qui avait avancé l'argent qui a aidé père à démarrer et, quand il le lui a rendu, elle me l'a laissé. Je voulais investir dans les films d'Aylward, mais il s'y est refusé. Sur le moment, j'étais furieuse, mais en réfléchissant je l'ai respecté pour avoir réagi ainsi, dit-elle d'un air grave. Il n'avait pas fait d'objection à ce que père mette des capitaux dans « Eagle films », car là il s'agissait d'affaires. Mais maintenant, bien sûr, il a gâché ses chances... et par ma faute. J'en suis très malheureuse.

– Naturellement. J'aimerais que vous me parliez longuement de ce projet, mais un peu plus tard. Pour l'instant, si vous tenez à ce que je reste, il est préférable que j'en informe Mrs Decointre, et que j'aille chercher mes bagages.

– Elle peut venir dans ma chambre. Vous n'allez pas comploter dans mon dos, dit Katy devenue soudain arrogante. Je ne suis pas certaine de pouvoir me fier à elle... et certainement pas à Angela. Je sens qu'elles ne tiennent pas à ce qu'Aylward m'épouse.

– Ceci ne me concerne pas, répliquai-je d'un ton ferme. Mais si vous doutez que je ne fasse pour vous tout mon possible, je préférerais que vous trouviez quelqu'un d'autre, en qui vous pourriez avoir confiance. On ne m'a pas encore accusée de déloyauté envers un patient, et je devrais en être offusquée.

– Oh! vous avez la tête près du bonnet, dit-elle. J'aurais dû m'y attendre avec ces cheveux roux. Je vous demande de ne pas être fâchée contre moi... je vous en prie. Mon intention n'était pas de vous faire de la peine. J'ai simplement besoin de savoir que vous faites cause commune avec moi.

– Les infirmières ne font pas cause commune avec leurs patients, mais les intérêts de ceux-ci passent d'abord...

Je devais plus tard songer avec tristesse combien j'avais dû paraître suffisante à cette enfant effrayée et éplorée. Je ne pouvais alors deviner que j'allais vraisemblablement être entraînée à « prendre parti », ou tentée de n'être rien moins que dévouée à ma patiente. Il est facile de croire en sa propre intégrité et son impartialité, quand celles-ci n'ont pas été sérieusement mises à l'épreuve.

Et même si j'avais pu prévoir ce qui m'attendait, je n'aurais sans doute pas modifié mon attitude. La peur était une émotion dont je n'avais que rarement fait l'expérience. Je n'avais eu aucune occasion d'apprendre à esquiver le danger, et ne pouvais le pressentir.

– Tant que vous vous souvenez de cela et me faites passer d'abord... (Katy fronça le nez à nouveau :) Oh, non! C'est moche! On croirait entendre un sale gosse. Je n'avais pas l'intention d'être désagréable. C'est seulement que, avec père là-bas, aux Caraïbes, et très fâché contre moi de toute façon, je n'ai absolument personne pour me soutenir ou m'aider.

– Question résolue, dis-je. Accrochez-vous à moi de toutes vos forces. Je suis assez solide sur mes jambes.

– Alors, est-ce que 70 livres par semaine et toutes vos dépenses payées vous conviendraient? demanda-t-elle.

– 70 livres par semaine? C'est beaucoup trop. Je ne suis pas diplômée, protestai-je.

– C'est la somme qu'avait suggérée Daddy (1). Il a versé

_____

(1) Papa.

l'argent pour un mois, à mon compte, avant de partir. Il a actuellement payé au moins 500 livres pour couvrir les frais d'infirmière et autres dépenses, expliqua-t-elle. Il a pensé que 70 livres seraient une somme correcte et devrait me permettre de sélectionner quelqu'un de bien. « Si vous voulez ce qu'il y a de mieux, montrez que vous êtes prêt à payer pour l'avoir. » C'est sa devise. Il en a une autre de la même veine : « N'allez pas au rayon des soldes pour vous plaindre ensuite que ce que vous avez acheté a craqué aux coutures. » Vous voyez donc que vous n'avez pas à craindre d'être trop coûteuse.

— On n'achète pas les gens comme un vêtement au rayon des soldes, observai-je, partagée entre l'amusement et l'exaspération. J'espère que je ne lâcherai pas aux coutures, mais je vous ai avertie, je n'ai pas fini tous mes examens. Votre père pourrait considérer que je suis trop payée.

— Oh non! Il vous choisirait tout de suite, affirma-t-elle. Il dirait qu'avec vous il en a « pour son argent ». C'est une autre de ses expressions familières. Pour beaucoup de choses, il a des éclairs de bon sens. En ce qui me concerne, il est un peu stupide, bien sûr. Il se fait beaucoup de souci, ce qui le rend irritable. Il serait soulagé de pouvoir me donner une fessée et me mettre au coin, mais j'ai passé l'âge.

— Vous l'aimez beaucoup? me risquai-je à demander.

J'avais l'impression de chercher mon chemin dans le noir sur un territoire inconnu. Je n'avais jamais rencontré quelqu'un comme Katy Haylett. Elle était à des lieues de miss Henrietta. Je songeai soudain que je n'avais pratiquement jamais eu beaucoup de contacts avec des filles plus jeunes que moi. Dans mon enfance, et au temps de l'école, il m'avait fallu me démener pour rattraper Belle et Angela. Je n'avais jamais eu une petite sœur à tenir par la main.

– Il est adorable. Il aime jouer au « self-made-man » (1) et au type rude, dit-elle avec un petit air indulgent. En fait, il n'était pas parmi les opprimés. Son père était caissier dans une banque et il a fréquenté une bonne école secondaire.

La porte s'ouvrit toute grande et Mary Decointre s'arrêta sur le seuil, son regard allant de Katy à moi.

– Je ne veux pas vous bousculer, ma chère, mais il y a là une autre infirmière qui attend d'être reçue, annonça-t-elle.

– Renvoyez-la! Celle-ci fera l'affaire, dit Katy d'un ton impatient. Miss Smith, c'est bien cela?... Mais non! Je ne vous appellerai pas miss Smith. C'est trop guindé pour vous. Quel est votre prénom?

– Constant. Constant, avec un « t », pas « ie ».

– Constant Smith? Un nom qui fait un peu « colon anglais, père fondateur de New Plymouth », ou quelque chose d'aussi terrible. Vous n'avez pas un surnom?

– Ma sœur m'appelle Connie, mais Aylward – Aylward Decanter – il y a bien des années m'avait surnommée « Conker », à cause des marronniers d'Inde qui poussaient autour de la forge.

– Des marronniers d'Inde? Du diable si je sais ce qu'est cet arbre. Qu'est-ce au juste? demanda Katy d'un air ahuri.

– Vous n'avez jamais ramassé des marrons d'Inde quand vous étiez petite fille? Dans le village, nous, les enfants, nous les attachions pour jouer conkers (2).

– Je n'ai jamais été une « enfant de village », dit-elle avec un snobisme naïf. J'ai toujours été élevée à Londres et n'ai connu que les écoles privées. Les arbres ne me

(1) A l'homme arrivé par lui-même.
(2) Chacun tenant son marron suspendu au bout d'une ficelle, et les autres essayant de le briser.

sont pas très familiers. Est-ce que votre père était vraiment maréchal-ferrant de village?

– Il était le maréchal-ferrant du village. Le seul sur des kilomètres à la ronde, précisa Mary Decointre. Un homme exquis. Angela, dès notre arrivée au château, était tombée amoureuse de lui.

– Angela? dis-je d'un air incrédule. Je ne m'en étais jamais doutée...

– Bien sûr que non. Vous étiez beaucoup trop jeune. Votre sœur soupçonnait quelque chose, et trouvait à redire. (Mary fit une pause tout en fronçant le front et reprit :) Vous avez bien réfléchi, Constant? Vous êtes bien certaine de vouloir vous atteler à la tâche?

– Pourquoi pas? répondis-je, non pas découragée, mais un peu refroidie par sa question. (J'avais supposé qu'elle se montrerait sincèrement soulagée en découvrant que j'avais plu à Katy :) Vous ne pensez pas que je convienne?

– Le fait de travailler pour des amis crée parfois des complications. Vous ai-je dit que nous espérons qu'Aylward sera très bientôt de retour parmi nous? Il aura très certainement besoin de soins. Vous voudrez bien vous occuper de lui?

– Certainement. Je le ferai avec joie.

La mise en garde avait été assez claire. J'avais compris l'avertissement, mais je le rejetai immédiatement. Pourquoi diable s'imaginerait-elle que je pourrais hésiter à m'occuper d'Aylward? Je n'avais que des souvenirs agréables en ce qui le concernait. Ce n'est que par Cecil que j'avais connu le chagrin, et non par Aylward. Depuis ma plus tendre adolescence, presque depuis toujours, j'avais, sans la discuter, accepté la décision familiale, qui était qu'Aylward devrait épouser une fille fortunée.

Et cette même acceptation était toujours aussi présente à mon esprit, tandis que j'adressai à Mary Decointre un sourire rassurant. Aylward avait trouvé son héritière, puis avait failli la perdre dans un lamentable accident. Ce serait ma tâche que de lui faire recouvrer la santé, de l'aider à se rétablir afin de lui rendre une Katy aussi proche que possible de celle qu'il avait connue. Et si, du même coup, je pouvais assister Aylward durant sa convalescence, ce n'en serait que mieux. Je justifierais alors, à mes propres yeux, le salaire ridiculement élevé que m'offrait Mr Haylett.

M'aurait-on interrogée sur le sujet, j'aurais prétendu que mes motifs étaient purement altruistes. Quels motifs le sont jamais vraiment? J'étais humaine... J'avais aimé Cecil d'un amour profond, pendant des années, et bien sûr, tout au fond de moi, je me disais, moitié coupable et moitié transportée, que, vivant près de sa mère, il était inévitable que, tôt ou tard, je rencontre à nouveau mon ancien amour. Je n'anticipais pas. Je ne demandais rien d'autre. Durant ces années de silence et de séparation j'avais appris la résignation. Je n'avais pas l'intention de me jeter au cou de Cecil, d'exiger des explications tardives ou de l'accabler de reproches qui paraîtraient dépassés. Je serais calmement amicale, rien de plus. Et toute tentative de rapprochement devrait venir de lui.

Peut-être que même en revoyant Cecil, je n'aurais pas envie de ce rapprochement. Je n'avais cessé de me le répéter, non seulement depuis que j'avais vu l'annonce de Mary Decointre, mais aussi tout au long des années passées près de miss Henrietta. Cecil aurait changé, aurait mûri. J'avais peut-être changé, moi aussi. Je me sentais toujours la même enfant solitaire, impétueuse, donnant spontanément son cœur aux Decanter, mais, en fait, il y avait de cela vingt ans. Comment aurais-je pu demeurer ce que j'étais après avoir connu cet arrachement de Netherfield Green? Quoique peu mémorables, ces cinq années ne pouvaient pas ne pas m'avoir marquée.

Entre Cecil et celle que j'étais maintenant, il existait peut-être un fossé qu'aucun souvenir de notre jeunesse ne pourrait combler. J'étais, du moins je le croyais sincèrement, préparée à cette éventualité.

Et souriante, parfaitement calme et confiante, je traversai la rue sans même remarquer que les feux étaient au rouge...

5

Malgré le lit étranger et le repas recherché, si différent des dîners légers que nous avions avec miss Henrietta, j'avais dû sombrer dans le sommeil sitôt ma lumière éteinte. J'étais profondément endormie quand des cris perçants me firent sursauter.

Tout d'abord effrayée, me soulevant sur un coude, je pensai qu'un cauchemar avait dû me réveiller. Je me rendis compte, alors, que les sons n'étaient pas imaginaires, mais bien réels. Je m'arrachai du lit machinalement, et ce ne fut qu'en cherchant à allumer ma lampe que je me rappelai soudain où j'étais, et avec qui.

— Je viens, criai-je, essayant dans l'obscurité de mettre la main sur ma robe de chambre et mes mules.

La porte qui faisait communiquer la chambre de Katy et celle libérée à la hâte par Mary Decointre était demeurée grande ouverte, à la demande de Katy. En tâtonnant, je trouvai la porte et juste à l'intérieur de la chambre de Katy le commutateur. Dans l'éblouissement soudain, je clignai des yeux en direction du lit. Draps et couvertures traînaient sur le sol et Katy à moitié accroupie, ses cheveux blonds cachant son visage, agrippait des deux mains la couverture. Elle appelait, mais les mots étaient comme assourdis et incohérents.

Je m'avançai, posant délicatement ma main sur ses épaules qui se soulevaient. Elle fit un bond violent et recommença à hurler.

– Katy! Réveillez-vous! dis-je en la secouant légèrement. Vous faites un cauchemar. Katy!

– Non, gémit-elle. Non... oh non! Ne le faites pas! Je vous en prie... (Puis elle frissonna de façon convulsive.)

– Katy! répétai-je avec insistance. Réveillez-vous!

Elle eut comme un hoquet de surprise, puis rejeta ses cheveux en arrière et, en clignant des yeux, me regarda.

– Oh! Oh, c'est vous... dit-elle, visiblement soulagée. Qu'est-il arrivé? J'ai encore rêvé?

– Apparemment. Vous ne vous souvenez pas?

Frissonnant de nouveau, elle s'accrocha à moi. Je m'assis sur le lit et elle cacha son visage contre mon épaule. De ses cheveux qui me caressaient le menton et le cou se dégageait une senteur jeune et pure qui faisait curieusement penser à l'herbe fauchée. De même, il y avait quelque chose de juvénile dans le tremblement de son corps. Ses membres auraient pu être ceux d'un jeune chien.

– C'est fini maintenant, dis-je. Reposez-vous. (Et soudain je lui demandai impulsivement) : Quel âge avez-vous, Katy?

– Dix-huit ans. Assez âgée pour faire mon testament. Et je... l'ai fait... avant que nous quittions Londres... avoua-t-elle d'un ton saccadé. Stupide de ma part... vous ne pensez pas? Tenter le diable... comme dirait Angela. Aller au-devant d'une poussée dans le dos.

– Vous dites des sottises, dis-je mal à mon aise.

– Daddy était d'un avis contraire. Il voulait que j'attende... jusqu'à ce que je sois mariée, disant que c'était exposer Aylward à la tentation... et... humiliant pour moi, parvint-elle à dire d'une voix étouffée. Selon lui, personne ne devrait avoir besoin, pour m'épouser, d'être soudoyé. Cecil l'avait dit également...

– Cecil... (les battements de mon cœur s'accéléraient douloureusement.) Vous avez discuté de votre testament avec Cecil?

– Avec tous. Pourquoi pas? Je les considérais comme ma propre famille... déjà. Cecil était toujours charmant avec moi... à la manière d'un frère aîné, répondit-elle d'un air de défi. Pourquoi aurais-je fait des mystères avec eux?

– Pauvre enfant que vous êtes!

C'était ce que j'avais cru, moi aussi, pendant des années, pensai-je, avec un pincement au cœur. J'avais été certaine d'être « adoptée » par toute cette famille. Pure illusion, bien sûr. Car si j'avais été vraiment, comme je le croyais, « une des leurs », pourquoi s'étaient-ils écartés de moi en rompant tout contact?

– C'est réellement une vraie famille... et j'ai toujours désiré faire partie d'une famille, murmura Katy. Je pensais qu'ils m'aimaient, que je comptais pour eux... à part l'argent... le mien ou celui de Daddy.

– Je le croyais aussi... il y a des années.

– Vous aussi? (Levant la tête, elle me regarda avec une flamme de défi.) Etiez-vous amoureuse d'Aylward, quand vous étiez jeune fille?

Quand j'étais jeune fille? A l'entendre, on aurait dit qu'il y avait de cela un siècle. Quel âge pensait-elle que j'avais? Peut-être que, pour Katy, adolescente de dix-huit ans, quelqu'un ayant vingt-cinq ans bien sonnés devait appartenir à une autre génération. Mais... s'il en était ainsi, nous étions, les Decanter et moi, du même côté du fossé. Les jumeaux auraient trente ans l'an prochain.

– Non, répondis-je. Je n'osais pas. J'avais pour lui une sorte de culte du héros, mais je ne me reconnaissais pas dans Cendrillon. En outre, Angela insistait tout le temps sur le fait qu'Aylward aurait à faire un mariage d'argent, s'il voulait garder le château.

– *Non!* Si... si j'avais été tuée, il aurait eu l'argent, et il n'aurait pas eu à m'épouser. Comment puis-je oublier cela?

– S'il vous aime... (Consciente que la panique l'avait gagnée, je m'en voulais de m'être laissé entraîner dans cette discussion. La tâche dont je venais de me charger était de l'apaiser et certes pas de l'encourager à méditer sur ses relations avec les Decanter.) Vous devez savoir s'il vous aime ou non. Tout au moins, on est supposé savoir...

– *Comment?* demanda-t-elle d'un air triste.

Comment? A la vérité, avais-je su? J'aurais juré que je comptais presque autant pour Cecil qu'il avait compté pour moi... et cependant n'avait-il pas saisi sa liberté quand je la lui avais offerte?

– Je n'avais jamais pensé que, pour Aylward, l'argent avait autant d'importance, et que le château lui tenait tellement à cœur.

– Il ne doit pas tenir beaucoup à *moi,* pour m'avoir oubliée ainsi. C'est du moins ce que dit Cecil, qui croit que les gens n'oublient que ce qu'ils souhaitent oublier...

– Je connais cette théorie. Je l'ai déjà entendue, mais, en l'occurrence, elle ne peut pas être vraie. Si vous raisonnez, vous comprendrez qu'Aylward n'aurait pas choisi d'oublier tout ce qui concerne l'expédition.

– N--non. C'est déjà quelque chose, soupira-t-elle. Oh, je ne pourrais pas supporter de le perdre! Je crois que je me pelotonnerais et attendrais de mourir.

Avais-je éprouvé cela moi aussi? Si oui, la fierté m'avait empêchée de l'admettre. J'avais essayé de secouer les épaules en me disant que, si Cecil me préférait sa belle et brillante cousine, il n'avait qu'à me laisser et l'épouser. Il le regretterait en fin de compte. Jamais il ne pourrait, avec elle, partager tous les souvenirs qui nous avaient unis. Peut-être, au fond, n'avais-je pas vraiment cru qu'il pouvait m'oublier...

– On ne se met pas en boule en attendant de mourir, vous savez. On continue péniblement, en espérant, commençai-je.

– Espérant *quoi?* (Elle frissonna.) Ce qui m'effraie, voyez-vous, c'est le sentiment que quelqu'un me hait et cherche à me nuire. Qui est-ce? Qui m'a poussée?

– En êtes-vous certaine?

Quand elle m'avait affirmé cela, la première fois, je ne l'avais pas prise au sérieux. J'avais cru que c'était l'excuse enfantine qu'elle donnait pour avoir torpillé l'expédition. Comme le petit enfant en larmes se plaignant de ce que « la méchante table lui a cogné la tête ». C'est ainsi que j'avais compris le « quelqu'un m'a poussée » de Katy.

– Bien sûr qu'on m'a poussée, répéta-t-elle avec mauvaise humeur. C'est moi qui l'ai senti, n'est-ce pas? Ce coup soudain dans le dos...

– Peut-être quelque chose est-il tombé sur vous? Si quelqu'un s'était trouvé assez près de vous pour pouvoir vous pousser, vous auriez certainement su qui c'était?

Pour toute réponse, elle se contenta de trembler. Elle ne jouait pas la comédie. Elle était vraiment en proie à la peur. Glacée physiquement et moralement.

– Vous avez besoin d'une bouillotte et d'une boisson chaude, observai-je.

– A 3 heures du matin? dit-elle en désignant du doigt la pendule de voyage posée sur la coiffeuse. Il n'y aura plus personne à cette heure-ci. Tout le personnel est couché.

– J'ai un petit réchaud de camping et une bouilloire. Pas de lait ni de thé, mais j'espère qu'il y aura du jus de fruit dans le salon.

– Ne me laissez pas! Ne partez pas, implora-t-elle, bien plus comme un enfant qui aurait peur de rester dans le noir, que comme une fille de dix-huit ans.

« Si je m'assoupis, le cauchemar me reprendra.

– Ne soyez pas inquiète. Je vais juste chercher le réchaud.

Je me dégageai des mains moites qui m'agrippaient, contente d'avoir songé à prendre avec moi mon nécessaire de camping. Sans d'ailleurs avoir prévu de devoir m'en servir à 3 heures du matin. Je l'avais fourré dans la voiture par simple mesure d'économie. Les restaurants, quand on voyageait par la route, coûtaient tellement plus cher qu'un petit pique-nique. Il n'y avait pas de petites économies. Je devais faire très attention à l'argent. Durant tout le temps où je m'étais occupée de mère, je n'avais rien gagné. Les quelques centaines de livres qui nous étaient revenues, à Belle et à moi, à la mort de mère, étaient encore investies dans une société de construction.

– Laisse le capital là, comme un petit quelque chose que tu auras en cas d'urgence, et ne prends que les intérêts, avait conseillé Belle, et j'avais été d'accord avec cette idée.

Comme Belle l'avait deviné, le salaire que me versait miss Henrietta, quand elle songeait à le faire, était au tarif syndical. Et pour pouvoir continuer à monter à cheval, ce qui était toujours mon plaisir favori, j'avais dû économiser, chaque fois que la chose était possible.

Katy s'était assise dans son lit, serrant ses genoux dans les mains tout en m'observant à travers l'écran de sa chevelure, tandis que j'installais le petit réchaud et mettais l'eau à bouillir. Et quand je me dirigeai vers le salon pour chercher le jus de fruit et les verres, elle me suivit du regard.

Une impulsion soudaine me fit ajouter à l'un des verres

une bonne dose de whisky dans l'espoir que peut-être l'alcool aiderait Katy à dormir.

– Je vous trouve vraiment très compétente, dit-elle une fois installée avec sa bouillotte et sa boisson chaude. Et pourtant vous n'avez rien d'une infirmière; vous ne ressemblez pas du tout à celles que j'avais à l'hôpital.

– Je n'ai eu que deux années de formation et, depuis, je me suis occupée de gens à domicile. Je vous ai dit que je ne valais pas 70 livres par semaine.

– Oh, mais vous les valez largement. Vous êtes bien mieux qu'une infirmière ordinaire. Je peux parler avec vous! (Elle me regarda par-dessus son verre comme un enfant qui voudrait avoir l'air sérieux :) C'est très triste de ne pouvoir parler à quelqu'un. Vous le savez?

– Oui. Je sais.

Comment aurais-je pu parler de Cecil avec mère ou Belle, sans provoquer reproches ou récriminations? J'aurais apprécié après la dernière lettre de Cecil d'avoir autour de moi quelqu'un qui aurait pu atténuer un peu mon chagrin, en le partageant. Mais Belle et mère avaient été visiblement soulagées, dans leur propre intérêt, de la rupture de mes fiançailles.

– Bavardez autant que vous le voulez! Je sais écouter, ajoutai-je d'un ton encourageant. Racontez-moi, par exemple, comment vous avez connu Aylward. Par votre père?

– Non. Par Angela...

Elle me parla de la série de portraits que son père avait tenu à faire faire pour marquer son dix-huitième anniversaire. Un des associés de son père lui avait alors recommandé le « Studio De Cointreaux ». Angela, je me souvenais, avait repris le nom de la famille à des fins professionnelles. Son studio était devenu très connu et beaucoup de choses d'elle avaient été présentées dans nombre d'expositions. Elle avait également touché sur des travaux d'Aylward en liaison avec des personnalités de la télévision. Bien qu'elle ait participé à des films publicitaires et des documentaires pour la télévision, elle ne tenait pas à travailler dans leurs studios de façon permanente. Elle préférait être photographe indépendante.

Ce que je comprenais aisément. On voyait mal l'autoritaire Angela être l'employée de quelqu'un. Angela avait un don pour manœuvrer et influencer les gens. Elle était faite pour actionner les marionnettes et non pas pour en être une. Elle avait, d'après le récit que faisait Katy avec candeur, tiré les ficelles avec subtilité et habileté – organisant les premières rencontres entre Katy et Aylward, puis entre Aylward et le père de Katy. Katy était vaguement consciente des manœuvres d'Angela, mais elle les voyait comme celles d'une « marraine de conte de fées ». Il ne faisait aucun doute que Katy et son réaliste de père avaient été victimes du charme d'Angela. Je n'étais pas surprise qu'Angela eût trouvé moyen d'envoûter Katy... tout comme elle m'avait ensorcelée, il y a bien des années.

Fraîchement sortie du pensionnat, orpheline de mère et sans sœur aînée ou même sans amis intimes pour achever son éducation ou lui enseigner les rudiments de la vie et une certaine sagesse du monde, Katy avait dû être aussi vulnérable qu'une jeune colombe tombée du nid. Son père avait beau être fou d'elle au point d'en radoter, et de se prêter à tous ses caprices, il n'avait que peu de temps à lui consacrer, et il ne lui était pas venu à l'esprit de lui donner chaperon et garde du corps.

De nos jours, je le reconnaissais, une fille de dix-huit ans savait à quoi s'en tenir et était armée pour la vie, mais, pour la plupart, ces filles avaient des emplois ou avaient suivi des cours de formation. Même moi, le produit d'un foyer heureux et d'une vie campagnarde, j'avais déjà, avant de commencer mes cours, une certaine connaissance des réalités. Katy me semblait incroyablement naïve et innocente, ou ignorante, comme si l'argent de son père l'avait fait vivre dans une vitrine de verre équipée du chauffage central. Et cette vitrine ayant volé soudain en éclats, sur le versant reculé d'une quelconque montagne, il n'y avait rien de bien extraordinaire à ce qu'elle en soit encore gravement choquée. Homme d'affaires puissant et perspicace, Harry Haylett devait être un sot achevé pour ce qui était des rapports humains, ne pouvais-je m'empêcher de penser avec colère. Il avait pratiquement mis sa précieuse agnelle dans la gueule du loup. Il n'avait pas levé le petit doigt pour arracher Katy à ses griffes. Pourquoi? Etait-il victime d'une certaine naïveté, lui aussi? Avait-il été impressionné par le rang social des Decanter? Ne songeant qu'au bien de Katy, s'était-il imaginé qu'Angela la présenterait aux « gens qu'il faut connaître »? N'avait-il pas entrevu, sous le charme d'Angela, ce qu'il y avait de tenace et d'impitoyable?

L'avais-je entrevu, moi? Pour être absolument honnête, je devais reconnaître qu'il m'avait fallu des années, des années au cours desquelles j'avais suivi humblement, et avec joie, le leadership d'Angela, pour découvrir que, si elle avait l'éclat et le brillant d'un diamant, elle en avait aussi la dureté. Rien de vulnérable en elle. Pas de faiblesse, pas même pour son frère jumeau. Peut-être, comme le soupçonnait Belle, Aylward comptait-il pour elle, mais ceci ne l'avait cependant pas empêchée de le manœuvrer comme un pantin.

Peut-être que, tout en m'irritant, les commentaires caustiques de Belle au cours du lunch avaient fait leur chemin dans mon esprit. Peut-être avais-je inconsciemment reconnu qu'ils n'étaient pas totalement sans fondement. Et en écoutant les révélations de Katy, je ne pouvais, de toute façon, douter du rôle joué par Angela dans le rapprochement d'Aylward et de Katy. Les rapprocher? « Les imposer l'un à l'autre » serait plus approprié. Angela avait repéré puis traqué « l'héritière » et avec habileté l'avait ramenée à Aylward.

Ce qui avait été dans la famille la plaisanterie classique, n'était plus drôle à pésent, si tant est qu'elle le fût jamais. C'était tout simplement écœurant. En admettant que, s'ils devaient avoir un espoir de retour au château, les Decanter auraient besoin de mettre la main sur une fortune, Angela n'aurait-elle pu en laisser l'initiative à son frère jumeau? Si Aylward avait sérieusement désiré « épouser une fortune » ne s'en serait-il pas préoccupé un peu plus tôt? Il ne vivait pas en ermite. Les occasions de faire de l'argent facilement n'avaient pas dû lui manquer. De même, il avait très certainement rencontré des masses de filles attrayantes, et d'autres qui l'étaient moins, et elles n'étaient sans doute pas toutes pauvres. Toutefois, pour autant que je sache, son nom n'avait jamais été associé à celui d'aucune jeune fille.

Pourquoi s'était-il engagé à épouser Katy? Etait-il tombé sincèrement amoureux d'elle? C'était possible, mais j'en doutais. Elle était jeune, jolie, attirante et touchante. Cependant... elle semblait beaucoup trop jeune, trop inexpérimentée pour séduire un homme comme Aylward. Je songeai que je ne l'avais pas revu depuis que mère et moi avions quitté Netherfield Green, et qu'après tout il avait pu changer. Il avait pu se lasser d'avoir à se battre pour survivre. Se voyant présenter une jeune héritière impressionnable, sur un plateau, décoré agréablement de persil sous la forme de l'argent paternel et de son influence, Aylward avait pu se saisir du plat.

Ou peut-être avait-il été emballé par les propositions des séries « Eagle » sans avoir compris que le contrat lui mettrait Katy sur les bras? Comme elle l'avait donné à entendre, Aylward avait pu être terriblement séduit par le projet des documentaires.

« Les aigles n'étaient pas simplement des aigles »
expliqua Katy d'un ton sérieux. Le savais-je? Les espèces
en étaient nombreuses et les habitats très variés, et tout
ceci pouvait servir à la publicité des « produits congelés » de Harry Haylett. Un documentaire sur l'orfraie
servirait par exemple à la publicité « des fruits de mer ».
Le projet, même en n'engageant qu'une équipe réduite,
serait très coûteux, mais ce serait un programme de
prestige, susceptible de permettre à son père de dominer
quelques-uns de ses concurrents.

Aylward et Angela avaient été « réellement emballés
par la perspective ».

— Comme c'est triste que la première de ces expéditions ait connu une telle malchance... et à cause de moi,
bien que je n'y fusse pour rien... je le jure, dit Katy d'un
air affligé. Daddy était furieux contre le pauvre Aylward
pour ne pas avoir veillé sur moi. Daddy a été terrible. Je
ne lui pardonnerai jamais d'avoir dit des choses horribles,
et d'avoir refusé d'attendre qu'Aylward se remette. Daddy
est d'un entêtement absolument exaspérant. Même
Angela n'a pas réussi à le persuader de retarder le
projet...

— Vous voulez dire qu'il le poursuit? Sans Aylward?
demandai-je, surprise.

— Bien sûr. Daddy a trouvé quelqu'un d'autre pour
diriger l'équipe. Et Angela l'a accompagné. Est-ce que
vous comprenez une chose pareille? Elle ne pouvait pas,
a-t-elle dit, rompre son contrat... J'ai trouvé ce geste
tellement déloyal... Comme le rat qui déserte le navire qui
va sombrer. Je le lui ai dit, d'ailleurs, mais elle m'a traitée
de « petite imbécile sentimentale », disant que je pouvais rester à tenir la main d'Aylward, si j'en avais envie,
mais qu'elle devait penser à son avenir.

— Je suppose que, là, elle a marqué un point.

— C'était terriblement cruel de sa part. Je ne pourrai

plus jamais éprouver les mêmes sentiments à son égard. Ce qu'il y a de plus lamentable dans toute cette histoire, c'est que je ne peux rien faire pour mon pauvre Aylward chéri. Il ne me laisse même pas lui tenir la main. Il ne me reconnaît pas. C'est atroce...

– Croyez-vous que je ne le sache pas? me hâtai-je d'intervenir, sentant monter le ton de sa voix. Vous vous êtes offerte, vous et tout votre avenir, à l'homme que vous adoriez, et il a poliment répondu : « Pas aujourd'hui, merci! » comme on congédie un commis voyageur. Croyez-vous que n'importe quelle femme, à moins d'être masochiste, ne souffre pas atrocement quand on lui ferme ainsi la porte au nez? Devenez une grande fille, enfant! Vous n'êtes pas la seule à qui ces choses arrivent.

De nouveau, ses yeux s'ouvrirent tout grands en me regardant.

– Vous, vous êtes bizarre, remarquait-elle d'un ton incertain. Comment savez-vous ce qu'on peut éprouver?

– Cherchez! Simplement parce que je suis passée par là. La réponse la plus évidente est souvent la bonne. Dans la vie, du moins, si elle ne l'est pas dans les problèmes de mots croisés, dis-je d'un ton las. Dès qu'Aylward est concerné, vous vous refusez à accepter ce qui est évident. Vous vous torturez à chercher des réponses.

– Vraiment? (Elle eut un clignement d'yeux.) Et quelle est la réponse évidente?

– Je dirais que c'est celle du médecin. S'est-il déjà prononcé? Amnésie temporaire, consécutive au choc?

– Oui, mais Cecil est médecin, lui aussi, et il dit que c'est psy-psychologique. Il pense qu'Aylward veut oublier.

Cecil aurait dû garder cela pour lui, pensai-je. C'était maladroit, si ce n'est cruel d'en avoir fait part à Katy.

– Oublier l'accident, ou l'échec de l'expédition, c'est

très possible. Mais pas nécessairement vous *oublier, vous.* D'ailleurs ce n'est pas le genre d'Aylward. S'il avait fait une erreur, il la reconnaîtrait, mais jamais il ne reculerait devant une conséquence quelconque en se cachant derrière une perte de mémoire. Vous ne le connaissez donc pas?

– Pas vraiment. Tout s'est passé tellement vite. En fait, j'ai vu bien plus souvent Angela qu'Aylward, confessa-t-elle. N'est-ce pas curieux de pouvoir adorer un homme qu'on connaît à peine? Je serais capable de faire n'importe quoi pour Aylward... et dire que je ne peux même pas lui tenir la main.

6

– Faut-il vraiment que vous sortiez? demanda Katy d'un air maussade. Vous êtes censée vous occuper de moi.

– Je dois voir le notaire de miss Henrietta. J'ai rendez-vous avec lui.

– Pourquoi?

– Pour signer certains papiers. Miss Henrietta m'a laissé sa voiture et quelques biens personnels, expliquai-je.

– Quel genre de biens? Bijoux? objets d'art?

– Je ne pense pas qu'elle ait eu aucune chose de valeur, juste une montre, et quelques bagues ou broches démodées, et aussi une masse de livres, des romans écrits pour la plupart dans différentes éditions.

– Alors, pourquoi ne pas laisser tomber cette histoire de notaire?

– Miss Henrietta m'était très chère, et elle tenait à ce que j'aie quelques petits souvenirs d'elle. Ce serait très peu aimable et très ingrat que de ne pas les prendre.

Il y eut un silence, puis, me considérant d'un air scrutateur, elle revint à la charge.

– Pourquoi vous être faite aussi belle, si c'est seulement pour aller voir un vieux notaire poussiéreux? dit-elle d'un air soupçonneux.

– Tout d'abord il n'est ni vieux ni poussiéreux, et de plus il m'a demandé de déjeuner avec lui.

Elle resta bouche bée.

– Il vous a invitée à déjeuner? Pourquoi? L'avez-vous déjà rencontré?

⌐ A plusieurs reprises, quand il venait voir miss Henrietta.

– Katy, interrompit Mary Decointre, il s'agirait maintenant d'être raisonnable. Connie a promis de nous rejoindre à Netherfield Green, mais il faut lui laisser le temps de régler ses propres affaires.

– Je ne vois pas pourquoi elle ne peut pas venir tout de suite avec nous.

– Elle vous en a donné la raison, dit Mary en me souriant, assise devant son petit déjeuner. J'espère, Connie, que c'est un jeune homme agréable? On devrait pouvoir se fier à un notaire, bien que là, comme partout, il y ait des exceptions.

Je faillis répondre : « C'est valable aussi pour les médecins », mais je me tus.

C'était absurde de me sentir irritée de son air satisfait, comme si elle se sentait soulagée en sachant que j'avais un ami. Selon miss Henrietta, toutes les mères ayant des fils agréables et célibataires réagissaient toujours de cette façon. Si les pères avaient tendance à vouloir garder leurs filles, les mères, elles, étaient de véritables dragons quand il s'agissait de leurs fils, m'avait-elle assuré. Il y a des années, Mary Decointre avait semblé accueillir avec plaisir mes fiançailles avec Cecil... mais peut-être les considérait-elle comme une sauvegarde, non comme une certitude. Fiancé, un étudiant ne songe pas à avoir d'histoires avec d'autres filles. Elle n'avait sans doute pas pensé que ces fiançailles dureraient indéfiniment et peut-être avait-elle projeté, depuis le début, que Cecil irait auprès de son grand-père, au Canada, et épouserait sa talentueuse cousine. Qui sait même si elle n'avait pas espéré qu'un jour, je ne serais plus assez bien pour Cecil, moi, la fiancée de son enfance?

La veille au soir, Mary Decointre m'avait presque donné à entendre que j'avais traité Cecil avec dureté. Pour une mère aimante, la fin d'une idylle avait pu lui donner cette impression. D'un autre côté, les mères aimantes admettent rarement les torts de leur fils. Et Cecil avait toujours été le préféré de sa mère. Que Mary ait attribué à moi, ou à Cecil, la responsabilité de la rupture, elle avait très bien pu la voir avec plaisir. Elle était ambitieuse pour ce fils. Et elle devait l'être encore...

En lui rendant son sourire, je compris, avec un serrement de cœur, que j'avais cessé d'être la « petite Conker » des jours anciens. Celle-ci n'aurait jamais soupçonné Mary Decointre d'habileté, ou songé à douter de ses motifs... Il y avait seulement cinq ans, cette « petite Conker » avait été aussi candide et loyale que l'était aujourd'hui Katy.

— Comment est-il? Il fait l'effet d'être mortellement ennuyeux. (Katy m'observait d'un air de reproche :) Vous ne m'avez pas dit que vous aviez une aventure avec un avocat. Est-ce que vous songez à l'épouser?

— Mon Dieu! Non! Il ne me l'a pas proposé, et je ne vois pas pourquoi il songerait au mariage, répondis-je. Du moins en ce qui me concerne. Nous nous sommes rencontrés au hasard de ses visites chez miss Henrietta, et nous avons eu du plaisir à nous voir. Il fait partie de ces jeunes hommes « qui montent ». Excellent dans sa partie, je suppose. Récemment, au cours d'une conversation téléphonique, il m'a promis de faire ce qu'il fallait pour transférer tout de suite la Cortina à mon nom.

— Les voitures d'occasion ne valent pas grand-chose, remarqua Katy d'un air désobligeant et un peu méprisant. La vieille demoiselle ne vous a pas laissé d'argent?

– Elle n'avait aucune raison de le faire. Et de toute façon, je ne crois pas qu'elle en ait eu beaucoup. Mais j'ai trouvé gentil qu'elle me laisse sa voiture. Beaucoup de gens n'auraient pas eu cette pensée ou n'auraient pas pris la peine de l'ajouter à leur testament, dis-je avec chaleur. Et les termes en étaient si charmants... en souvenir des plaisantes promenades que nous avons faites. Elle savait que j'économisais pour essayer d'acheter une voiture.

– La voiture est devenue un vrai luxe, entre l'assurance et le prix de l'essence, quoique, bien sûr, à la campagne, elle est une nécessité, fit observer Mary Decointre. Peut-être pourriez-vous trouver à changer la Cortina pour une voiture mieux adaptée à vos besoins, comme une Mini, par exemple?

Je me sentis contrariée, sans savoir exactement pourquoi.

– Il se trouve que j'aime les voitures un peu grosses... et la Cortina est pour moi associée à tant de souvenirs plaisants... Je préférerais la garder.

– Vous n'allez pas vous laisser retarder par ce notaire? Vous devez déjeuner avec lui? Je voulais que vous m'aidiez à faire mes bagages, me dit Katy. Je déteste ça.

– Vos bagages ne doivent pas être très importants. Vous n'êtes là que depuis quelques jours, si j'ai bien compris.

– Oui, mais j'ai fait du shopping. Ce que j'ai acheté n'entrera pas dans mes valises. Que vais-je en faire?

L'idée me traversa l'esprit que si l'on attendait de moi que je fasse auprès de Katy office de bonne d'enfant, femme de chambre, dame de compagnie et infirmière, je ne volerais probablement pas ce généreux salaire.

Après d'interminables et inutiles discussions, il fut finalement décidé que Mary Decointre partirait immédiatement après déjeuner pour Netherfield Green avec l'Austin 110, que Katy m'attendrait et, qu'après l'avoir aidée à faire ses bagages, nous partirions ensemble avec la Cortina.

– Vous pouvez facilement trouver une excuse pour ne pas déjeuner avec cet homme, me lança Katy au moment de mon départ.

Je répondis par un sourire qui n'engageait à rien. J'avais décidé que, de toute façon, je déjeunerais quelque part, même si Everton ne renouvelait pas son invitation. Ce ne serait faire aucun bien à Katy que permettre qu'elle s'agrippe à moi comme le lierre s'enroule autour du chêne vigoureux. Elle n'était que trop visiblement du genre « collant », capable de serrer à la gorge l'homme qu'elle épouserait. Pour son bien, et celui d'Aylward, on devait l'encourager à se débrouiller seule.

J'essayai de me persuader que j'envisageais avec plaisir l'idée de revoir Everton Gillard. Ses visites chez miss Henrietta m'avaient certes été agréables. Peut-être en parlant de lui à Belle avais-je, dans un réflexe de défense, exagéré son intérêt pour moi, mais je ne le croyais pas. M'aurait-il demandé de déjeuner avec lui, s'il m'avait considérée comme une cliente sans importance? Il n'avait nul besoin, une fois les papiers signés, et la Cortina ainsi que les « quelques biens » devenus ma propriété, de rester en contact avec moi. Son invitation ne pouvait signifier autre chose que le désir d'être en ma compagnie.

Tout en remontant l'escalier étroit qui menait à l'étude des avoués, je souhaitais que mon cœur s'accélère et que ses battements me deviennent conscients. J'avais vingt-cinq ans, j'étais libre, pas mal de ma personne et, pour autant que je sache, parfaitement normale. Pourquoi alors, ne pouvais-je éprouver les signes que manifeste toute jeune femme qui s'apprête à rencontrer un célibataire agréable? Je ne pouvais, je ne voulais pas croire qu'une déception amoureuse m'ait rendue indifférente au charme de tout autre homme. Je ne désirais pas le moins du monde dégager cet air de froide indifférence qui caractérisait Belle, et glacer les possibles admirateurs. Je ne voulais que tomber à nouveau amoureuse.

Mais... ce ne serait pas de ce jeune avoué. Quand, avec le cérémonial d'usage, on me fit entrer dans son bureau et qu'il se leva pour me saluer, je fus consternée. Vêtu d'un costume sombre, chemise blanche et cravate noire, Everton aurait pu être n'importe quel homme d'affaires et si je l'avais rencontré dans la rue, je ne l'aurais certainement pas reconnu.

Même en admettant qu'il n'ait pas un visage ou une silhouette remarquable, que tout en lui soit plutôt neutre, y compris ses cheveux d'un ton de brun clair indécis et ses yeux d'un bleu-gris, j'aurais dû, après les heures que nous avions passées ensemble, avoir gardé de lui une image plus précise... Je ne m'étais pas rappelé Everton dans le détail. Le manque d'intérêt, ou plus probablement le manque d'émotion, avait obscurci les lentilles de la mémoire photographique dont je me vantais.

J'étais honteuse de moi-même et horriblement déçue. Tout m'était étranger en lui, même la légère pression de ses doigts charnus, quand il prit ma main et m'installa dans le fauteuil rembourré qui faisait face à son bureau.

Je pensai, gagnée soudain par la panique : « C'est un étranger. Il n'est pas possible que je déjeune avec ce garçon. Je n'aurais rien à lui dire. Il était si différent chez miss Henrietta... drôle, amical, détendu. Pourquoi est-il devenu si cérémonieux, si « professionnel » avec moi? »

Je me demandai, ombrageuse, si c'était là sa façon de rompre; de m'indiquer qu'il était redevenu le notaire et non plus le visiteur gai et enjoué venant chez miss

Henrietta; il avait pu décider que s'il avait été plaisant d'égayer ses visites à une cliente âgée en s'intéressant à sa garde-dame de compagnie, il importait de faire comprendre à celle-ci qu'il ne s'agissait que « de passer le temps ». Et si elle entretenait une quelconque illusion quant à son intérêt pour elle, il était temps de l'éclairer là-dessus.

Pourquoi diable avais-je eu la sottise en parlant d'Everton à Belle et à Katy de le présenter comme une conquête? Je lui jetai un coup d'œil circonspect, espérant que mon expression ne trahissait pas combien je me sentais penaude et humiliée. Il avait mis des lunettes à grosse monture sombre, et lisait à voix haute, en fronçant les sourcils, quelque chose qui ressemblait à un document officiel.

Son expression était grave, presque sévère, et même sa voix avait quelque chose de glacial et de précis que je n'avais jamais remarqué auparavant.

« J'ai compris. Vous n'avez pas besoin d'insister, pensais-je froissée. Je me demande bien ce qui vous permet d'imaginer que je pourrais essayer de monnayer nos relations passées? Simple vanité masculine? Ou bien vous êtes-vous hâté de déduire, que du fait de l'isolement dans lequel je vivais auprès de miss Henrietta, je me suis jetée sur vous comme sur une bouée de sauvetage? Vous vous trompez, savez-vous? Je n'ai jamais considéré vos visites que comme une diversion agréable... »

Il leva la tête brusquement et ses yeux rencontrèrent les miens.

– Vous comprenez? me demanda-t-il.

– Oui, bien sûr. Agréable, le temps que ça dure, mais pas de futur. C'est ainsi que je le voyais, moi aussi, dis-je d'un air provocant.

Ses sourcils se froncèrent au point de rejoindre son nez mince et busqué.

92

– Je crains de ne pas vous suivre, dit-il. Je faisais référence au legs de la défunte miss Henrietta Pearson...

– La Cortina? oui. Vous m'avez dit que la Cortina devait me revenir.

– Il est impossible que vous m'ayez écouté. Vraiment, miss Smith, on croirait que vous n'êtes pas intéressée.

– Je ne le suis pas. Je veux dire... pas intéressée en rien de ce qui est personnel. Je ne vois pas pourquoi vous supposiez que je l'étais, dis-je sur un ton de défense.

– Il semblerait qu'il y ait un malentendu, dit-il l'air perplexe. Essayez-vous de me faire comprendre que vous ne souhaitez pas que je – ou plutôt l'étude – agisse comme votre représentant légal?

– Grand Dieu! non! répliquai-je également perplexe. Je veux dire, pourquoi aurais-je besoin d'un représentant légal? Ce n'est pas comme si je devais comparaître devant un tribunal pour y subir un interrogatoire.

– Ma chère... (Il eut un geste impatient :) Vous devez avoir un notaire pour s'occuper de vos intérêts. J'avais espéré que vous seriez ravie que nous nous chargions de tout.

– Oui, bien sûr. De tout? L'homologation? dis-je d'un air vague. Je ne pense pas que cela me concerne.

– Naturellement que vous êtes concernée. Il faudra nous entendre sur ce que sera votre part dans les droits de succession.

– Oh? Parce que j'aurai à payer pour la Cortina? Je n'avais pas songé à cela, dis-je consternée.

– Pas seulement la voiture. C'est un détail. Mais ce qui sera délicat, ce sera d'arriver à une juste évaluation des romans de miss Pearson.

– Oh, oui? Vous m'avez dit qu'elle me laissait ses livres. Je l'avais oublié, dis-je reprenant conscience. Ce geste m'avait beaucoup touchée, mais elle avait une telle masse de livres... et je ne saurais où les mettre. Dois-je les prendre tous?

– A nouveau, vous ne m'avez pas entendu, ou vous n'avez pas bien compris. Je ne faisais pas allusion à sa bibliothèque personnelle. Miss Pearson vous a légué tous les droits sur ses romans. (Il baissa les yeux sur le document placé sur son bureau et lut :) *En reconnaissance pour l'aide sans limite et l'intérêt sincère qu'elle a apportés à mon travail au cours des années passées auprès de moi...* Ce sont les mots de miss Pearson. Merveilleux de sa part, si vous me permettez, Constant, de dire ma pensée? A moins que vous considériez que ce soit déplacé?

– Je ne vois pas ce que vous voulez dire, protestai-je, consciente de quelque chose d'un peu chagrin dans sa voix.

– J'avais comme l'impression que vous m'avertissiez de ne pas introduire une note personnelle. En bref, que vous m'indiquiez où était ma place.

– Oh, pas du tout! Je pensais que *vous* y étiez. Vous sembliez si guindé et professionnel...

– *Vous* le seriez de la même façon si j'étais un patient dans votre service. Quand on traite une affaire, on essaye d'avoir l'air d'un homme d'affaires.

– Vraiment? Je suppose que c'est juste...

La tension disparut soudain et nous nous retrouvâmes riant et un peu penauds tous les deux.

– Je suis navrée, dis-je brusquement (regrettant davantage les pensées que j'avais eues, que ce que j'avais pu exprimer). Je devais être dans la lune. Voulez-vous dire que miss Henrietta m'a laissé toutes ses « royalties »?

– C'est exact. Tous les droits sur ses romans. Ce qui fait que vous aurez besoin d'un homme de loi pour veiller sur vos intérêts. Je veux croire, miss Smith, que j'aurai l'honneur et le privilège d'être celui que vous en chargerez?

Il jouait de nouveau au notaire, et ses yeux eurent une lueur de moquerie que je reconnus.

– Certainement, Mr Gillard! Je serai très heureuse de m'assurer vos services, répondis-je sur le même ton.

Si j'étais encore un peu confuse, je me sentais cependant soulagée. Et ce ne fut qu'une fois installée en face d'Everton, dans un restaurant discret et de qualité, que tout se déclencha.

– Vous parlez comme si j'étais une héritière, dis-je d'un air incrédule.

– Pourquoi doutez-vous de l'être? Vous êtes une héritière, affirma-t-il.

– Oh! N'exagérons pas! J'ai hérité du chien de miss Henrietta, de la Cortina et des romans. On ne peut pas dire que ce soit une fortune. La voiture et Berry, le chien, représenteront des frais d'entretien, sans parler des emplois que je perdrai très probablement à cause du chien, dis-je devenant soudain pratique. Bien que je ne pense pas que la personne dont je m'occupe actuellement élève une quelconque objection à sa présence.

– Des emplois? Mais ma chère, je ne pense pas que vous ayez à vous en préoccuper. Vos revenus vous permettront d'être plus qu'à l'aise.

– En êtes-vous certain? Miss Henrietta vivait si simplement...

– Par goût, mais non par nécessité. (Il me sourit d'un air cocasse, la tête de côté :) Ma chère, on ne peut décidément pas dire que les finances vous préoccupent. Pas la moindre curiosité des biens de miss Henrietta, et des dispositions qu'elle avait prises à leur sujet.

– Ce n'était pas mon affaire. Je ne lui étais pas apparentée.

– Elle n'avait aucune famille proche. Après toutes les dispositions et ce qu'elle a généreusement laissé à de vieux amis, ce qui restera – et qui doit être divisé entre nombre de sociétés protectrices d'animaux – se montera à environ 50 000 livres moins les droits de succession. Surprise?

– Plus que cela. Etonnée, dis-je avec sincérité. Je la croyais plus ou moins dans la gêne. Au point que j'essayais toujours de faire durer les carbones et les rubans de la machine à écrire, aussi longtemps que possible, et que je lavais même la voiture et la lingerie de miss Henrietta...

– Ce qu'elle a évidemment apprécié. Elle avait pas mal lutté dans son jeune temps, ce qui lui avait appris à ne pas gaspiller l'argent, dit-il sèchement. Parmi les lettres que vous avez retournées au bureau sans les décacheter, plusieurs venaient de ses agents littéraires et contenaient des offres très intéressantes pour les droits à divers pays étrangers – y compris trois droits pour Israël.

– Oh? Ce dernier point l'aurait ravie, car je crois qu'elle n'a jamais encore eu de livre publié en Israël. Je me souviens qu'elle avait été folle de joie de recevoir une offre d'un éditeur grec... (Je remarquai le petit mouvement de ses sourcils clairs et je poursuivis :) Pour un écrivain, ce n'est pas seulement une question d'argent. Vous devez le comprendre. La conquête d'un nouveau marché est toujours quelque chose d'un peu excitant, qu'il soit intéressant ou non financièrement. C'est du même ordre que ce qu'éprouve l'observateur passionné des oiseaux, quand il découvre qu'une espèce jusque-là inconnue fait son nid pour la première fois dans sa réserve particulière.

– Avez-vous quelqu'un qui se passionne pour les oiseaux parmi vos admirateurs?

– Pas exactement parmi mes admirateurs. Mais je connaissais un homme qui était amoureux des oiseaux.

– Vous connaissiez... Quand?

– Oh, il y a très longtemps. C'était du temps où j'étais

écolière. Je ne l'ai pas vu depuis cinq ans, me hâtai-je d'ajouter.

– Et cependant, vous vous souvenez de lui... et avec assez de force pour avoir changé de couleur quand je vous ai questionnée à son sujet. Comment se fait-il?

– Comment? répliquai-je avec aigreur.

– C'est une question embarrassante. Si je vous réponds en toute franchise que tout ce qui vous concerne m'intéresse, je tends une perche à vos sarcasmes, dit-il d'un ton sec. Vous pourriez me dire de ne pas ramener les choses à moi, ou me soupçonner de m'intéresser à votre héritage.

– Je pourrais peut-être, mais je ne le ferai pas.

– Sûr? C'est encourageant. Mais est-ce destiné à l'être?

– Je ne sais pas. Enfin... je veux dire que je ne vois pas quelle différence cela peut bien faire pour quiconque que j'aie hérité. Ce n'est pas comme si on m'avait légué un portefeuille d'actions et de parts. Miss Henrietta n'est plus, et ses livres peuvent fort bien ne plus présenter aucun intérêt.

– Pas de votre vivant. D'après certaines informations, les éditeurs songeaient à rééditer tous ses premiers ouvrages. Si cela se faisait, de nouvelles offres afflueraient certainement pour ses romans à demi oubliés et, pour vous, ce ne serait pas mal du tout.

– Et alors?

– Pourquoi prétendre que l'argent ne fait pas de différence? Il change beaucoup de choses pour ceux qui le reçoivent et pour leur entourage immédiat, dit-il avec franchise. Quelques-uns de vos prétendus « héros romantiques » peuvent s'éloigner des filles qui ont de l'argent. Mais la plupart des hommes qui travaillent dur se sentent soulagés si leur femme a une certaine indépendance financière. L'argent ajoute inévitablement un attrait supplémentaire.

– Oui? C'est sans doute vrai...

– Non pas que vous-même ayez besoin d'argent pour augmenter votre charme qui est considérable, mais c'est sans aucun doute un élément d'importance. Ceci amène la question de votre ami, le docteur, à moins que je ne me trompe complètement. Diable! dit-il en fronçant le sourcil. Ai-je deviné juste? Vous rougissez... Ainsi vous êtes éprise de cet efflanqué d'Ecossais?

– Quoi? Quel efflanqué d'Ecossais? demandai-je d'une voix vide d'expression.

– Vous oubliez que je l'ai rencontré... chez miss Henrietta. Il ne m'a pas fallu longtemps pour voir qu'il s'intéressait à vous, en propriétaire.

– Oh! Vous voulez parler d'Alistair McCanning?

– Bien sûr. (Ses yeux se fermèrent à demi :) Ne me dites pas que vous avez à vos pieds deux docteurs écossais.

– Personne n'est à mes pieds. De toute façon, c'est la seule place où je n'aimerais pas trouver un homme. Très incommode, dis-je d'un ton de légèreté affectée.

– Alors, où aimeriez-vous m'avoir, moi? demanda-t-il d'un air entendu. Ceci n'est pas un jeu, Constant. Je suis terriblement sérieux.

7

– Qu'est-ce que c'est que cette grande enveloppe?
demanda Katy avec une curiosité évidente.

– Des lettres d'éditeurs et d'agents littéraires de miss
Henrietta. Everton veut que je leur réponde. Comme je
lui ai servi de secrétaire, je suis au courant des dossiers,
des fiches, expliquai-je. Il faut faire très attention de ne
pas vendre deux fois les mêmes droits...

– Je ne vois pas pourquoi vous devriez vous tracasser
avec cette histoire. Vous vous occupez de moi, maintenant, protesta-t-elle, ne parvenant pas à dissimuler une petite note de jalousie. Père ne vous paiera
pas pour mettre en ordre les papiers de cette vieille
fille.

Je pinçai les lèvres. J'avais failli céder à la tentation de
lui dire que son père pouvait, en ce qui me concerne,
garder son beau salaire. J'aurais eu un plaisir fou à le
faire... mais je savais que c'était une impulsion que
j'aurais regrettée ensuite. Katy était une enfant gâtée, qui
aurait mérité une bonne gifle, mais elle avait été gravement choquée et souffrait maintenant d'un sentiment
angoissant d'insécurité. Elle avait besoin d'une compré-
hension intelligente, besoin d'être aidée et réconfortée,
pour ne pas devenir une névrosée à vie. Dans l'intérêt

d'Aylward, et de sa mère, je devais faire pour Katy tout ce qui était en mon pouvoir.

Aussi est-ce avec douceur que je répondis :

– En temps normal je ne prends pas un nouvel emploi en milieu de semaine. Je fais une concession en vous emmenant à Netherfield Green. Mais je dois passer un jour ou deux en Cornouailles, peut-être durant le week-end, pour mettre de l'ordre dans certaines choses et ramener Berry.

– Berry? Qui est Berry?

– Le chien de miss Henrietta. Elle avait laissé les chats à sa gouvernante qui les adorait, mais elle tenait à ce que j'aie Berry. C'est un tout jeune chien et une petite créature pleine de vie.

– Un chien? dit-elle comme elle aurait dit « un éléphant blanc (1) ». Que pouvez-vous faire d'un chien?

– Le garder avec moi. Et si un futur employeur ne veut pas de lui, j'en trouverai un qui l'accepte, dis-je d'un ton ferme.

Fronçant les sourcils à ce que je venais de dire, elle me regarda de côté, cherchant à deviner si je parlais sérieusement ou non.

– Vous renonceriez à un emploi bien payé pour un chien?

– Certainement. Miss Henrietta s'est fiée à moi pour m'occuper de Berry.

– Oh, c'est bon! Je n'y vois pas d'inconvénient, finit-elle par admettre. Je n'ai jamais eu de chien, mais comme Aylward les adore, il faudra bien qu'à un moment ou l'autre je m'habitue à eux.

– Je suppose que vous n'avez jamais eu de petit chat, non plus, ou tout autre animal qui dépende de vous?

Elle secoua sa tête blonde.

_____

(1) Un cadeau de valeur, mais inutile.

100

– J'étais le chiot de Daddy. Il n'en voulait pas d'autre.

Et vous attendez de tout le monde qu'on vous traite comme un petit animal chéri, pensai-je. Vous, pauvre enfant...

– Vous savez que vous pouvez venir avec moi en Cornouailles. Ce serait un changement pour vous, suggérai-je. Mais maintenant, finissons vite ces bagages et nous partirons pour Netherfield Green.

Un coup d'œil rapide jeté sur le village me donna l'impression qu'il n'avait pas changé. J'étais surprise de retrouver le terrain communal, les marronniers, l'église, le presbytère et l'auberge. Ils étaient tels que je me les rappelais. Mais, parvenue à l'endroit qui avait été le centre de ma vie, ce fut là que la différence m'apparut. La forge avait disparu. On l'avait convertie en salon de thé style « vieux monde ». J'eus un choc effroyable. Netherfield Green, probablement, avait manqué de forgerons. Mon père n'avait pas eu de fils pour continuer les traditions de sa famille.

Le châtelain avait eu deux fils, mais aucun d'eux n'avait été en mesure de rester au château, me répétai-je en moi-même. Si la vieille demeure était la même extérieurement, tout son décor avait été douloureusement modifié; les bois qui s'élevaient çà et là autour de la maison avaient été remplacés par des plantations de conifères dessinées avec soin et régularité. Quant aux bosquets envahissants et aux bordures herbacées qui avaient un air si suranné, on les avait taillés et transformés en plates-bandes d'une sinistre netteté. Plus une place maintenant pour les enfants, pour jouer à cache-cache ou aux cow-boys et aux Indiens, pensai-je la gorge serrée. Je regrettais d'avoir cédé à l'impulsion d'entrer par la grille de côté en passant devant le château jusqu'à la grille principale et le pavillon, occupé maintenant par Mary Decointre.

– Que se passe-t-il? demanda soudain Katy. On dirait que vous allez pleurer.

– Je pourrais pleurer en voyant ce que les vandales ont fait de ces jardins. Qui a fait abattre?

– Les locataires, bien sûr. La confédération des Producteurs d'engrais chimiques. Une très importante compagnie. Ils ont de nombreux bureaux dans la maison et les jardins servent à faire leur publicité pour leurs fertiliseurs, m'expliqua Katy. Les jardins sont ravissants pendant les mois d'été. Vous ne les avez pas vus à la télévision en couleurs?

– Je n'ai jamais regardé la télévision en couleurs...

– Non? Comme c'est curieux! Nous en avons une pour nous, et une pour le personnel, et moi j'ai un petit appareil portatif. Mais les gens de cette compagnie sont de bons locataires. S'il n'y avait pas cette histoire d'héritage, ils auraient acheté le château. Je voulais que Daddy se débarrasse d'eux pour que nous puissions y vivre, Aylward et moi, mais Daddy prétend que cette solution l'obligerait à payer une pension à Mrs Decointre. Elle compte sur la location du château.

– Je ne pense pas qu'Aylward tiendrait à y vivre maintenant. Les bois et les taillis où nous dénichions les nids d'oiseaux ne sont plus. De même les haies d'aubépine et le lierre qui couvrait les murs. Et tous les oiseaux qui vivaient autour de cette maison ont dû déserter les lieux, dis-je le cœur plein de regret.

– Qui souhaiterait que les oiseaux fassent leur nid sur les murs d'une maison? Les oiseaux sont des créatures malpropres, dit Katy en faisant une grimace. Certains sont ravissants, mais je préfère les voir de loin.

– Aylward n'est pas comme vous. Il passait des heures à les observer. Il avait même réussi à apprivoiser un rouge-gorge qui venait manger dans sa main... et un pinson qui se perchait sur son épaule...

Je me tus brusquement, mais j'étais incapable d'endiguer le flot des souvenirs qui m'avait assaillie avec tant de force en passant devant le château. Inconsciemment, la pensée d'Aylward et de ses oiseaux apprivoisés s'était imposée à moi; je le revoyais, jeune garçon, se tenant en équilibre sur un genou à l'extérieur de l'appentis, la main tendue et immobile, attendant, le visage ardent, que le rouge-gorge vienne se poser sur son poignet pour picorer dans sa main. Angela l'avait photographié dans cette position, et cette photo lui avait valu de gagner un concours dans un magazine, réservé aux moins de seize ans.

Il n'avait pas montré à Angela le nid du rouge-gorge qui était une vieille boîte de métal rouillé posée sur une étagère de l'appentis. Mais il me l'avait montré, à moi, en me faisant jurer de garder le secret. Angela aurait pu être tentée de photographier le nid et aurait effrayé les oiseaux qui seraient partis, m'avait-il expliqué gravement.

Aylward et ses oiseaux... C'était une plaisanterie qui ne faisait pas tellement rire les Decanter. Le châtelain ne s'intéressait aux oiseaux qu'en « réserve » et comme un éventuel gibier. Mary Decointre, elle, se plaignait, amusée, des razzias d'Aylward dans le garde-manger, toujours à la recherche de petites friandises pour ses protégés, qui, en remerciement de ces largesses, dévoraient ses crocus et ses primevères. Cecil, lui, soutenait que les oiseaux étaient naturellement destructeurs et nuisibles aux vergers, et souvent, porteurs de maladies. Quant à Angela, elle n'était guère intéressée que par les espèces photogéniques et avait décidé que l'observation des oiseaux représentait une épreuve de patience incompatible avec sa vitalité.

C'est ainsi que, quand Aylward avait fait une découverte intéressante qu'il éprouvait le besoin de partager avec quelqu'un, c'était à père et à moi qu'il la confiait. Père était un grand amoureux de la nature et de tous ses habitants, qu'ils soient à fourrure ou à plumes. Il m'avait enseigné à les observer et... parfois j'avais eu le plaisir d'annoncer à Aylward avec beaucoup de fierté une de mes découvertes. Cecil avait été mon compagnon de tous les instants, et plus tard l'élu de mon cœur, mais, dès le début, Aylward avait été mon héros.

Je trouvais curieux, et presque choquant, qu'Aylward s'apprête à épouser cette ignorante « fille-enfant », hyper-émotive, pour laquelle les oiseaux étaient des « créatures malpropres ». Pourquoi, et comment, avait-il été entraîné dans cette aventure? Je me refusais à croire que ce n'était que pour un motif financier. Difficile de faire mourir ses héros. Ou peut-être est-il plus facile de croire le pire d'un amoureux de naguère, que d'un ami que l'on admire et en qui l'on a confiance?

« L'appel du cœur » me paraissait l'explication plausible. Katy était mignonne et attrayante, et Aylward était foncièrement chevaleresque. Elle avait pu l'entourer, s'accrocher à lui et sans doute n'avait-il pas eu la cruauté de s'arracher et de se libérer.

Il est possible qu'au début il n'ait pas tenu à cette liberté. Après avoir vécu depuis toujours sous la domination de l'autoritaire Angela, la créature docile et douce qu'était Katy avait pu lui sembler reposante.

Le pavillon aurait pu s'appeler « la maison de la Douairière ». Il y avait de cela plusieurs générations, elle avait été considérablement agrandie pour la mère du châtelain régnant, quand celle-ci devint veuve. La maison avait gardé sa destination d'origine jusqu'à l'époque du

« vieux » châtelain. Puis, comme il n'avait plus aucune parente pour l'occuper, elle était demeurée libre. Mary Decointre avait espéré la louer comme « cottage de vacances ». Elle et le châtelain l'avaient remise en état et meublée assez sommairement avec quelques-uns des meubles inutiles au château. A part quelques locataires occasionnels, le cottage était surtout demeuré inoccupé. La raison en était peut-être que Netherfield Green n'était pas assez près de la côte pour plaire aux vacanciers, ou que l'annonce de location n'avait pas paru dans les journaux appropriés. Ou bien Mary Decointre avait-elle estimé que, financièrement, le jeu n'en valait pas la chandelle? D'ailleurs on l'imaginait mal pouvant réussir dans une quelconque entreprise d'affaires. Elle n'avait pas l'allant d'Angela.

L'ameublement actuel du pavillon ne donnait plus l'impression d'une installation de fortune. Chaque pièce en avait été décorée avec soin. J'en reconnus plusieurs qui avaient été mes favorites au château. En fait, il y avait peut-être trop de choses, car les pièces qui n'étaient pas très vastes donnaient l'impression d'être encombrées.

Mary Decointre avait préparé le thé. Elle m'accueillit avec chaleur, comme si elle était soulagée que j'aie tenu parole. Elle s'était arrêtée à Saint-Cyriac en venant et avait appris qu'Aylward pourrait quitter l'hôpital le mercredi suivant.

– Il devra y retourner trois fois par semaine pour la thérapie, mais ce n'est pas un problème, dit-elle, en hésitant, jetant un coup d'œil à Katy.

– Il ne vous a rien dit? Il ne m'a pas demandée? interrogea-t-elle avec avidité. Est-il content de revenir à la maison?

– Il n'en a rien dit. Il n'a presque pas parlé, dit Mary avec une grimace d'anxiété, qui maintenant m'était devenue familière. C'est tellement étranger à Aylward d'être aussi silencieux... aussi passif. On a l'impression que ce choc a détruit en lui toute possibilité de penser ou de sentir. Connie... avez-vous eu l'occasion d'approcher un cas semblable?

– Non. Mais je sais qu'un choc grave peut provoquer ce genre de trouble. Certains crient et ont de véritables crises d'hystérie, alors que d'autres sont comme atteints de paralysie, dis-je en essayant de me rappeler les expériences que j'avais eues à l'hôpital.

Mes années de formation semblaient terriblement lointaines. Mes souvenirs de salle d'hôpital s'altéraient comme pâlit une photographie ancienne. Même mes courts intermèdes hâtifs avec Cecil étaient moins vivaces qu'ils ne l'avaient été. Par contre, les souvenirs qui touchaient à mon enfance avaient gardé toute leur précision. Surtout, bien sûr, les premiers de ces souvenirs des Decanter, montant leurs fougueux poneys à la robe luisante, le tintement familier des harnais, le piétinement des sabots, et les accents de l'Ouest, si étranges pour moi au premier abord...

Doux, aigres-doux, exaltants, frustrants, ou totalement enchanteurs, ces souvenirs devraient, maintenant, être rangés à la resserre avec des sachets de lavande, me dis-je, le lendemain après-midi quand, sur l'instance de Katy, je la conduisis à l'hôpital. Au lieu de cela j'avais continué à les porter comme le chapelet de cette vieille ballade victorienne. « Chaque heure, je la passe avec toi, cher amour... » répétai-je pour moi, silencieusement ironique. Chaque heure un grain...

Certainement, peu de filles de mon âge et de ma génération étaient comme moi, d'une sentimentalité aussi écœurante. Aucune de nous avait-elle jamais pris la peine de cueillir de la lavande pour en faire des sachets? L'odeur ne m'en était même pas agréable. Enfin, peut-être était-ce la raison pour laquelle je portais mes souvenirs comme un collier au lieu de les ranger dans un tiroir. Peut-être portais-je les « perles » comme talisman pour écarter le danger, pour m'empêcher de recommencer à souffrir, une autre fois.

Oui, mais si j'avais peur d'être meurtrie, pourquoi, alors, avoir répondu à l'annonce de Mary Decointre? Jusqu'à quel point pouvais-je me conduire de façon inconséquente? Je me le demandais quand Katy me saisit par le bras en me disant sur un ton impatient :

— Pas par là...

— Désolée! La force de l'habitude, expliquai-je. Je n'ai jamais pénétré à l'hôpital par l'entrée des visiteurs.

— Mais il y a une éternité que vous étiez à l'hôpital, répliqua-t-elle. Habitude?

— Les habitudes ont la vie dure, avec moi en tout cas. (Comme nous approchions des portes de verre de l'entrée de l'hôpital, j'hésitai :) Êtes-vous certaine de vouloir que je vous accompagne? Je peux vous attendre dans la voiture. Ne préféreriez-vous pas être seule avec Aylward?

— Oh, non! Je ne pourrais pas. Non! Pas aussi longtemps qu'il ne me reconnaîtra pas! C'est trop affreux, laissa-t-elle échapper. Il est là étendu, muet, pas vraiment conscient de quoi que ce soit. Si j'essaie de lui parler, il me répond poliment, mais d'une façon perplexe, embarrassée. C'est comme si son esprit était vide.

— Ce doit être triste...

Comment imaginer Aylward dépourvu de son intelligence vive et brillante et de sa merveilleuse bonne humeur? Je suppose qu'en dépit de tout ce que m'en avaient dit Katy et Mary Decointre, je m'attendais tout de même à retrouver le jeune héros fougueux de mes chers souvenirs.

Je pense que, s'il avait été dans son lit, le choc, pour moi, aurait été moins rude. On s'attend toujours à ce que les malades couchés aient une certaine pâleur. Au lieu de cela, Aylward était en chemise et en pantalon, sous une robe de chambre en tissu écossais vert et rouge, et était étendu sur une chaise-longue en osier, dans un coin du salon-solarium, où les malades qui pouvaient se déplacer avaient coutume de se réunir l'après-midi. Non loin de lui, quatre hommes jouaient aux cartes, assis autour d'une petite table. Trois autres suivaient une course de chevaux sur un petit poste de télévision. Un autre groupe de très jeunes gens écoutaient de la musique pop qui hurlait dans une radio.

En un clin d'œil j'avais tout compris, compris l'isolement dans lequel était Aylward. Il était sur le côté, le dos tourné aux autres patients, une main sur le front comme pour se protéger les yeux du soleil qui brillait à travers les immenses fenêtres. Rien dans son attitude ne rappelait l'abandon du chat qui se chauffe au soleil. Sa longue silhouette mince laissait deviner une tension extrême. Il ne fit pas le moindre mouvement quand nous l'approchâmes et n'ouvrit pas ses yeux mi-clos.

Sa pâleur, l'extrême minceur de ce visage familier, jadis si cher, et les ombres violettes sous les immenses cils noirs, me serrèrent le cœur avec une violence presque intolérable. J'eus comme un désir soudain et fou de me jeter à genoux près de son fauteuil, de bercer sa tête contre mon épaule, de caresser ses longs cheveux sombres en lui murmurant des mots tendres qui le rassureraient. Je n'avais jamais pensé que je puisse éprouver cette vague de compassion et ce sauvage désir de protection à l'égard d'Aylward, mon héros, mon chevalier fougueux. Ce fut comme le remous d'une vague géante. Mon cœur cognait sourdement, j'avais la gorge sèche et je sentais mes genoux trembler. Si j'avais été seule, je me serais peut-être laissé emporter par cette impulsion, comme si seul un contact physique pouvait parler pour moi qui ne savais avec quels mots l'aborder. Je restais là, silencieuse, et comme pétrifiée. Jamais je n'avais éprouvé ce sentiment de désespérante inutilité.

Katy lâcha mon bras, fit quelques pas, avança deux fauteuils de jardin et s'effondra dans l'un d'eux.

– Bonjour, chéri! Comment allez-vous? Mieux? Vous devez l'être si vous rentrez à la maison la semaine prochaine, s'écria-t-elle d'une voix nerveuse et haut perchée. Vous serez content de revenir, n'est-ce pas? Ou... est-ce que ça ne vous fait pas enrager d'être si près de la maison et d'être obligé de demeurer ici? Vous n'avez jamais dit...

Lentement, comme quelqu'un d'épuisé, il tourna la tête. Puis au prix d'un énorme effort il parvint à s'asseoir. Katy l'observait d'un air gêné. Je souffrais pour lui, imaginant sa peine. Je pensai que le fait de soigner et de s'occuper des malades rendait plus réceptif. N'avais-je pas toujours su, même si elle essayait bravement de ne pas le montrer, quand miss Henrietta était en proie à une crise douloureuse?

– Ne bougez pas! dis-je. Laissez-moi vous aider... (et je me baissai rapidement au-dessus de lui).

Dire que, jadis, il m'avait semblé solide comme un roc. Et maintenant, j'avais conscience qu'il était complètement décharné. J'étais indignée, tandis que je l'aidais à s'asseoir en lui calant le dos avec des coussins.

– Oh, mon cher cœur, que vous ont-ils fait? Vous n'avez plus que la peau et les os! m'écriai-je involontairement.

« Mon cher cœur » avait été une des expressions préférées de ma mère. Pourquoi m'était-elle venue tout naturellement... je ne le savais pas...

Les longs cils battirent, et comme je me dirigeais vers la chaise que Katy avait avancée pour moi, Aylward me regarda droit dans les yeux. Pendant un moment, il eut une expression déconcertée et comme provocante. Puis son front qui s'était plissé redevint lisse et je retrouvai dans ses yeux l'ancienne lumière chaude et réchauffante.

– Juste ciel! Mais c'est Conker! C'est la petite Conker qui est de retour, s'écria-t-il. Enfin! Mais qu'êtes-vous devenue pendant tout ce temps-là, ma chérie?

Très curieusement, je n'avais même pas envisagé l'idée qu'Aylward pourrait ne pas me reconnaître. Je n'y avais pas pensé. Et qu'il me retrouve en m'appelant « Conker » ne m'avait pas surprise. Mais ce qui m'avait remuée c'était la joie sincère et le ravissement qui se lisaient dans le ton de sa voix et dans son regard.

– Comme c'est bon de vous revoir, dis-je.

Ce n'était pas bon de le voir dans cet état. C'était déchirant et révoltant.

– Mais où étiez-vous? répéta-t-il avec insistance. Pourquoi avez-vous disparu ainsi? Qu'aviez-vous contre nous? Vous ne nous avez pas donné la possibilité de nous expliquer.

– Je n'avais pas disparu. Je m'occupais de mère. En Devonshire. Vous le savez, ripostai-je. Et après sa mort, comme je devais trouver un travail, je suis allée m'occuper d'une vieille personne, en Cornouailles.

– Sans laisser aucune espèce d'adresse. Rompant tout contact avec nous, dit-il sur un ton de reproche. Pourquoi?

– Mais... Belle savait où j'étais. Si vous aviez tenu à avoir mon adresse, vous auriez pu la lui demander...

– *Belle?* Ainsi... c'était Belle? dit-il comme se parlant à lui-même. (Puis, un simulacre du gai sourire d'antan éclaira son visage amaigri.) Pas d'importance, maintenant. Nous vous avons retrouvée. C'était inévitable, d'ailleurs. Surtout ne me dites pas que vous êtes de retour à Saint-Cyriac juste au moment où j'en sors?

– Oh, non! Je ne pense pas que je pourrais jamais reprendre la vie d'hôpital. Je suis suffisamment occupée...

avec notre jeune amie Katy, ajoutai-je avec insistance, tandis que son regard allait de Katy à moi. Katy Haylett...

Pour rien au monde je n'aurais pu ajouter : « Votre fiancée. » Car si elle l'était, elle ne méritait pas de l'être, pensai-je l'esprit troublé. Il n'était pas amoureux d'elle. Il n'éprouvait rien pour elle. Je le savais. Je le sentais. Quoi qu'il ait pu arriver à Aylward, Katy y était étrangère. Elle n'avait été qu'un incident... une excroissance.

– Katy? répéta-t-il (et ses yeux sombres soudain se firent suppliants). Ah oui! Elle est déjà venue me rendre visite. Je n'arrive pas à comprendre pourquoi...

– Oh, Aylward! Oh, chéri, non! Ne voyez-vous pas que vous me crevez le cœur? (La voix de Katy tremblait comme secouée par une émotion passionnée et ses yeux étaient voilés par les larmes :) Pourquoi ne pouvez-vous pas vous rappeler? Vous ne pouvez pas m'avoir oubliée! C'est si cruel à vous de prétendre que vous ne vous souvenez plus.

– C'est vrai! Je ne prétends pas, dit-il d'un ton défensif. Je sais que vous êtes venue ici avec ma mère, mais à l'exception de ces visites, je ne me rappelle pas vous avoir jamais vue...

– Ce n'est pas vrai. C'est impossible. Vous vous êtes bien souvenu d'elle. (Elle me jeta un coup d'œil irrité et soupçonneux.) Et, d'après elle, vous êtes resté cinq ans sans la voir.

– Cinq ans... seulement. Ça m'a paru tellement plus long. Pas vrai, Conker? Une éternité depuis cet épouvantable accident...

– Vous vous rappelez l'accident? se hâta de demander Katy en l'interrompant.

– L'accident de Dallas Smith... du père de Conker. Je n'ai jamais pu l'oublier... jamais cessé de me blâmer pour n'avoir pas été là. Et dire que j'avais envie d'accompagner

111

Angela, puis une sangle de mon cheval avait lâché, et elle n'a pas voulu m'attendre.

– Je ne parle pas de cela. Je veux dire mon accident... notre accident, dit Katy d'un ton offensé. Comment avez-vous pu oublier cette affreuse nuit? Moi, je ne peux pas. Je ne cesse d'avoir des cauchemars qui me rendent malade. C'est pourquoi l'infirmière, miss Smith... est ici pour s'occuper de moi. Nous l'avons engagée hier.

La sérénité envahit son visage, et il me sourit à nouveau.

– Conker va s'occuper de vous? Mais c'est une nouvelle merveilleuse! Elle vous aura remise sur pied rapidement, et éclairci tout ce mystère, dit-il d'un air convaincu.

– Mystère, répéta Katy d'un air indécis.

– Avouez que ce n'est pas très clair. Je suppose que c'est mon frère qui détient la solution. Dès qu'il y a un mystère, il en est toujours l'instigateur. Il est adroit et il a un esprit tortueux assez difficile à suivre, et plutôt imprévisible, dit-il, déplaçant la tête nerveusement contre les coussins. Trop impénétrable pour moi... et pour vous aussi, je suppose, Conker? Comme la Belle Blonde. Perpétuellement à manœuvrer – secrètement. Promettant de faire suivre les lettres... et les oubliant quand cela l'arrangeait...

Sa voix à l'accent familier sonnait plus traînante encore, d'épuisement, semblait-il. Aylward, je le voyais, était encore un malade.

Je m'efforçai de dire :

– Je crois que nous avons assez parlé.

Mais Katy s'écria :

– Que diable voulez-vous dire? Vous déraisonnez. Qu'est-ce que Cecil a à faire là-dedans? Et qui est « la Belle Blonde »? Il ne peut pas s'agir de moi...

Il eut un petit mouvement de la tête las et impuissant.

– Oh, laissez-le, Katy! dis-je sans ménagement. N'êtes-vous pas capable de voir qu'il est épuisé? Attendez qu'il soit de retour à la maison. Alors, nous aurons tout le temps pour arranger les choses entre nous.

– Entre nous, répéta-t-il. (mais c'est moi qu'il regardait... et non pas Katy). Tout le temps? Comme ce semble merveilleux! La vie a été une telle course folle... et pourquoi? Comme un moulin emballé. Je suis fait, Conker. J'y ai eu droit.

– Je sais, je sais, mais c'est fini maintenant. Détendez-vous. Personne... je vous le promets, ne vous contraindra plus à faire quoi que ce soit...

– Voilà qui ressemble à ma petite Conker. Vous ne vous sauverez plus jamais? Se sauver ne fait que laisser les choses inachevées... dit-il d'une voix triste. Cette fois, vous devez rester et mener les choses à bonne fin...

– Oui, dis-je. C'est promis. Ne vous inquiétez pas, cher cœur. Comme mère avait coutume de dire, toutes les erreurs seront redressées.

8

Seulement... je n'avais pas fui; je n'avais pas essayé de disparaître. Qu'avait bien pu dire Cecil pour donner à son frère cette impression inexacte? Qu'avait dit Belle? Qu'avait-elle fait?

Jamais, même aux moments les plus sombres, moralement ravagée par ma rupture avec Cecil, je n'avais voulu me couper de cette famille. C'eût été pour moi comme une amputation. Comment, après avoir aimé les Decanter comme s'ils étaient ma propre famille, aurais-je pu songer à les effacer totalement de ma vie? Impensable. La « coupure » avait été leur fait, non pas le mien, ou du moins le croyais-je jusqu'à ce jour. Maintenant, avec sur moi le regard scrutateur et chargé de reproches d'Aylward, il m'avait fallu l'innocenter de tout désir de m'évincer du cercle de famille. L'amour avait pu me trahir, mais certes pas l'amitié.

Aylward était toujours aussi solidement et résolument mon ami qu'il l'avait été tout au long des années qui suivirent celle où il m'avait appelée « Conker ».

La gratitude qu'il m'inspirait était telle qu'elle me portait à ne mesurer ni mes mots ni mes gestes. Katy s'était penchée vers lui, lui donnant à regret un petit baiser d'au revoir. Sans réfléchir, je fis de même.

Je ne voulais que poser, sur son front pâle, un baiser léger, un baiser de sœur, mais il me saisit les mains avec une force incroyable, et m'attira vers lui pour que nos lèvres se rencontrent.

Il s'accrochait à moi comme à une bouée de sauvetage. Son besoin désespéré d'être rassuré était évident. Je le sentais, mais comment pouvais-je y répondre?

Aylward m'avait toujours été cher, une personne très particulière, même quand mes parents étaient là pour m'entourer et que Cecil ne me quittait pratiquement pas. Mes parents, maintenant, n'étaient plus, Cecil m'avait quittée et, en dépit de ce faible lien du sang entre nous, Belle m'était pratiquement étrangère. Avoir Aylward de nouveau, non plus désormais une image dorée dans une niche et qu'on adore en secret, mais un homme vivant qui avait été cruellement malmené et avait besoin d'être aidé, était une bénédiction dont je n'avais même pas rêvé. Je n'étais pas en état de mesurer cette chaude poussée d'extase qui m'emplissait le cœur, ou d'en prévoir le danger.

Quoi qu'Aylward veuille de moi, il l'obtiendrait. C'était aussi simple que cela... N'avais-je pas assez reçu de lui dans le passé? Donnant toujours généreusement et spontanément, et n'attendant jamais rien en retour, de son courage et de son énergie. Comment pourrais-je maintenant répondre avec parcimonie à ce qu'il attendait de moi? Pareille mesquinerie me semblait inconcevable.

Ce que je lui avais murmuré était désespérément banal...

– Détendez-vous... vous ne devez songer qu'à retrouver la santé... C'est la seule chose importante. Non, bien sûr que je ne disparaîtrai pas, si tant est que j'aie jamais disparu. Je serai là, j'attendrai votre retour... J'aiderai votre mère à prendre soin de vous... Vous serez bien vite rétabli...

Ce qu'il m'avait dit, lui, à voix basse, en relâchant son étreinte, était autrement plus précieux...

– Ma petite Conker... Dieu vous bénisse, chérie! Plus personne ne pourra jamais vous toucher... Vous êtes revenue, enfin, et plus jamais je ne vous laisserai repartir...

Sa douce voix traînante ne cessait de résonner à mon oreille, tandis que je me dirigeais avec Katy vers le parking. Complètement grisée, je luttais pour essayer de mettre de l'ordre dans les pensées qui tournoyaient follement dans ma tête. J'aurais dû admettre, confession gênante pour une infirmière, que je n'avais pas accordé la moindre pensée à Katy et à ses émotions. J'avais remarqué, sans m'y attarder, qu'elle avait l'air troublé, mais j'imaginais que je l'étais, moi aussi. Pour accepter sans réaction le changement alarmant survenu chez Aylward, il eût fallu être de pierre.

Elle réussit à se contenir jusqu'au moment où nous fûmes installées dans la voiture et là, soudain, elle explosa avant que j'aie eu le temps de mettre le contact. Ne m'attendant pas à cet éclat, je me contentai de la regarder, bouche bée.

Quand, finalement, elle se trouva à bout de souffle ou à court d'invectives, je dis d'un air confus :

– Mais... je ne vous ai pas menti. Je vous ai dit la vérité. Je n'ai jamais été amoureuse d'Aylward. C'était un sentiment que je n'aurais pas osé avoir. Il était le futur châtelain... le Prince Charmant de la famille... quelqu'un de « super » et hors de mon orbite, quand mère et moi avons quitté Netherfield Green. En outre, j'étais fiancée à Cecil.

– Je ne vous crois pas. Comment pourrais-je vous croire après avoir vu comme il vous regardait et entendu de quelle façon il vous parlait? s'écria Katy avec fureur. Vous êtes une tricheuse... un escroc. Vous vous êtes faufilée dans ce poste juste pour être près d'Aylward.

– Oh, ciel! Pourquoi faut-il que vous vous conduisiez comme une petite idiote jalouse? Demandez à Mary Decointre qu'elle vous parle de ma vie amoureuse. Demandez à Angela. Elles vous diront que je devais épouser Cecil... jusqu'au moment où, parti pour le Canada, il a changé d'idée, répliquai-je exaspérée.

– Pourquoi? Pourquoi a-t-il changé d'avis? Parce qu'il a découvert que vous folichonniez avec son frère?

– Non. Je pense qu'il était las d'attendre. Je devais rester auprès d'une mère invalide. Je n'ai jamais revu Aylward après notre départ pour Devon. Folichonner, en vérité? Je me demande d'ailleurs où vous avez bien pu ramasser cette expression triviale.

Elle fit une grimace, puis me regarda, les yeux embués de larmes.

– Trouvez-vous à redire à la façon dont je parle? Je croyais que vous étiez la fille du maréchal-ferrant du village... et que vous étiez allée à l'école du village.

– Mon éducation n'a pas commencé, et ne s'est pas arrêtée là. Au cours de ces trois dernières années, j'ai travaillé pour une romancière, une puriste, qui savait se servir des mots et n'aimait pas les voir galvauder.

Avec effort je parvins à me contrôler et dis :

– Ecoutez-moi, Katy, si j'ai fait ou dit quoi que ce soit qui vous ait donné une fausse impression, j'en suis désolée! Mais j'étais si bouleversée de voir Aylward dans cet état que j'étais littéralement incapable de penser.

– Je ne vois pas ce que vous voulez dire. Dans cet état? répéta-t-elle d'une voix blanche. Mais il est beaucoup mieux. Il est presque redevenu lui-même, à part la perte de mémoire.

– Non! Ce n'est pas vrai, vous ne faites qu'aggraver les choses en parlant ainsi. Parce que... il n'est plus Aylward... du moins pas celui que j'ai connu. Toute la gaieté, l'éclat, la chaleur et l'enthousiasme, et cet humour si attachant, tout a été emporté, ou du moins anéanti.

— Bien sûr, il n'est pas encore comme avant, parce que s'il l'était, il se souviendrait de moi. (Elle farfouilla dans son sac pour trouver son mouchoir et elle tamponna ses yeux qui larmoyaient :) Je suis navrée. Je n'avais pas l'intention de vous agresser comme je l'ai fait... mais j'ai eu une peine terrible de voir qu'il se souvenait de vous... et n'a pas hésité une seconde pour vous appeler par cet absurde petit surnom.

— C'était prévisible. J'ai entendu dire que c'est le passé immédiat qui, dans ces cas-là, est oublié, lui rappelai-je. Mais courage, maintenant! Quand il sera à la maison...

— Vous croyez que les choses changeront? Je ne le pense pas. Il n'a pas la moindre réaction en ce qui me concerne. Vous ne l'avez pas vu?

Je hochai la tête. Ma gorge venait de se serrer, soudain, en pensant que sitôt rentré à la maison, elles ne cesseraient pas... sa mère, Angela et Katy, d'exiger de lui ce qu'il ne serait pas encore en état de donner. Il n'aurait jamais la paix dont il avait un si grand besoin.

Comme ç'aurait été merveilleux de pouvoir l'emmener en voiture jusqu'au cottage retiré de Cornouailles de miss Henrietta. Là, ses blessures, quelles qu'elles soient, auraient une chance de se cicatriser, dans cette paix absolue que ne venaient troubler que le bruit des vagues, le cri des mouettes, et les quelques rares aboiements de Berry. Paix? Silence? Des mots apparemment si peu faits pour Aylward, et que cependant, je l'avais senti, chaque nerf de sa personne réclamait avec force.

— Je ne vous comprends pas, dit Katy d'un ton irrité. Vous dites que vous êtes fiancée à Cecil, mais vous n'avez pour ainsi dire pas parlé de lui. Seul Aylward semble vous préoccuper.

— C'est vrai, dis-je, alarmée par sa perspicacité. Curieux,

hein? Peut-être atteint-on un stade où l'on ne peut plus se torturer sur un amour perdu. Il doit y avoir une limite à la possibilité de souffrir, au delà de laquelle on se met en boule et on attend de mourir.

— C'est ce que vous avez éprouvé au sujet de Cecil? demanda-t-elle d'un ton incrédule. Il est très gentil, bien sûr, et intelligent, mais pas très excitant. Il ne m'emballe pas du tout. Est-ce qu'il compte encore beaucoup pour vous?

— A dire vrai, je ne sais pas, dis-je avec franchise.

— Ce n'est pas la même chose avec Aylward.

— Oh! Ne recommencez pas! Aylward était mon ami, pas mon amoureux, et il ne m'a jamais fait aucune peine. Il a toujours été merveilleusement bon et généreux. (Je vis le regard qu'elle me jetait et j'ajoutai :) La bonté est tellement importante. Vous le découvrirez quand vous aurez pris un peu d'âge. C'est quelque chose dont tout le monde a besoin, mais qui ne s'achète pas... Cette douce rosée tombée du ciel.

— Vous parlez étrangement. Pas du tout comme une infirmière...

— Je vous avais prévenue que j'étais du genre amateur. Je n'ai jamais appris le jargon du métier.

— Mais vous n'êtes pas non plus comme une fille de maréchal-ferrant de village.

— Oh, Katy, vous parlez comme une enfant! Comme si les gens se rangeaient dans des catégories bien définies! Pourquoi serais-je « comme ceci » ou « comme cela »? Je suis moi.

— Il y a cependant des gens qui ressemblent à ce qu'il sont censés être, dit-elle avec entêtement. Cecil, par exemple, ressemble à un docteur, et Aylward correspond à l'idée qu'on se fait d'une personnalité de la télévision.

— Même à la télévision, Aylward pour moi est toujours lui-même, c'est-à-dire parfaitement naturel, objectai-je. Il est probable cependant que c'était un effort pour lui. Il n'a jamais aimé se mettre en vedette.

– Il aurait été fou de ne pas se servir de sa popularité. Vous savez qu'on lui a proposé de diriger une de ces nouvelles réserves naturelles. C'était complètement isolé, à des lieues de tout, avec comme logement un cottage minuscule, et un salaire très maigre. Il a paru tenté, mais nous lui avons tous, bien sûr, déconseillé d'accepter.

– Oh? Vous le lui avez tous déconseillé?

Je sentis la fureur m'envahir et je serrai les lèvres. La vie d'Aylward ne me regardait pas. S'il avait choisi d'accepter que les femmes « lui disent » ce qu'il fallait faire, c'était son affaire. Il aurait pu leur tenir tête.

Pourquoi étais-je convaincue que cette activité lui aurait convenu à merveille? Il pouvait, jusqu'à preuve du contraire, avoir été attrapé à ce jeu de « personnalité ». Je ne sais pourquoi, je n'avais aucune peine à l'imaginer installé dans cette petite baie située au-dessous du cottage, allongé sur le sable chaud, et souriant en observant à la jumelle les oiseaux de mer perchés sur les falaises.

Je n'arrivais pas à m'imaginer Katy dans ce décor, et pas davantage Cecil. Peut-être l'intuition vous aide-t-elle davantage à connaître les amis chers que les êtres dont on est amoureux. On les voit « au naturel » et dépouillés de toute vanité. Avec un ami en qui l'on a confiance, on ne fait pas de « mise en scène ». On peut se permettre d'être décoiffée, certaine d'être comprise et pardonnée. Avec un amoureux, c'est différent. On est tenue de s'attifer, de faire des grâces et de chercher à être toujours à son avantage.

Je voyais mal Katy chez miss Henrietta, mais elle semblait déterminer à ne pas me lâcher. Elle était très désireuse de m'accompagner, comme je le lui avais proposé simplement, pour aller chercher Berry.

Le voyage était long.

– Êtes-vous sûre que vous ne serez pas trop fatiguée? lui demanda Mary Decointre d'un air inquiet. Vous avez l'air encore assez fragile.

– Je ne me sentirai pas mieux si je restais ici, à ressasser mes pensées. Je ne retournerai pas dans cet hôpital pour y être traitée comme une inspectrice des Services de Santé ou une visiteuse sociale, ou autre chose, rétorqua Katy absolument déchaînée. Comme a dit Connie, il y a des limites à ce qu'on peut accepter. Peut-être finirai-je par ne plus me soucier de ce qui arrive à Aylward et, alors, fini pour lui l'espoir de revenir au château. En fait, il n'aurait que ce qu'il mérite.

– Oh, ma chère enfant, vous ne devez pas vous mettre dans un tel état! Mais vous souvenir que le pauvre garçon a été affreusement malade, s'empressa de dire Mary. Vous devriez aussi ne pas oublier comment il a eu ses blessures...

Deux taches de couleur apparurent sur les pommettes rondes de Katy. Elle regarda Mary d'un air menaçant.

– C'est bien, blâmez-moi pour tout ce qui est arrivé. C'est facile. Ne vous demandez pas pourquoi je suis tombée, ou qui était responsable, cria-t-elle. Vous feriez n'importe quoi pour couvrir votre précieuse famille, mais il y a longtemps qu'ils ont cessé d'être des poussins qu'on abrite sous l'aile et qu'on nourrit à le becquée.

Katy, comme je l'avais déjà remarqué, avait par moments cette sorte de perspicacité propre aux enfants. Voyant que Mary reculait, je me pris à me demander si c'était elle ou Angela qui avait vu dans Katy le « morceau de choix » à offrir à Aylward. Peut-être se refusaient-elles, l'une et l'autre, à admettre qu'il n'était plus un poussin et qu'on devrait le laisser dénicher seul sa nourriture.

Comprenant, à la couleur du visage de Katy qui s'empourprait, et aux lèvres pincées de Mary, que l'orage était prêt à éclater, je décidai d'intervenir :

– Pourquoi ne pas attendre, pour récriminer, qu'Aylward ait retrouvé la mémoire? Quant au voyage de Cornouailles, ce sera un changement de décor pour Katy et une diversion qui sera peut-être la bienvenue. Je serai ravie de l'avoir avec moi, et vous pourrez vous reposer en notre absence, Mrs Decointre.

– Le voyage est long, et la Cortina est une voiture avec laquelle on peut être tenté de conduire trop vite, protesta Mary.

– Si j'étais tuée dans un accident de la route, Aylward hériterait de tout mon argent, et personne ne pourrait blâmer aucun de vous, dit Katy d'un ton aigre.

– Ma chère... commença Mary sur un ton qui indiquait clairement que ses nerfs allaient bientôt lâcher.

– Navrée! Je suis une gosse mal élevée. C'est bien ce que vous pensez? (La voix de Katy tremblait) Seulement, vous ne vous mettez jamais à ma place. Tout ce qui compte pour vous, c'est ce que je peux faire pour vos chers fils.

Maladroitement, comme aveuglée par ses larmes, elle se leva et alla buter dans la porte. Mary ne fit pas un geste pour la retenir et se contenta de hausser les épaules en m'adressant un regard résigné.

– Je crains bien qu'elle ait raison et qu'elle soit parfois une gosse mal élevée et gâtée, observa-t-elle comme la porte venait de claquer derrière Katy.

– Non, dis-je, secouant la tête comme je me levais pour suivre ma patiente.

– Ne lui courez pas après pour lui tenir la main. Laissez-la se calmer et comprendre qu'elle se conduit d'une façon abominable.

Je m'immobilisai, indécise, scrutant son fin visage intelligent, qui jadis m'avait été aussi cher que celui de ma propre mère. Elle m'avait dit que Katy « se cramponnait » à elle. Elle avait, lors de cette conversation, parlé de Katy avec des mots qui m'avaient semblé exprimer affection sincère et intérêt. Maintenant, je commençais à me demander...

Peut-être Mary, comme ma mère, ne pouvait-elle s'intéresser qu'aux hommes. Elle n'avait jamais été proche d'Angela qui, elle, était la grande préférée du châtelain. Il était sans doute exact que, pour Mary, seuls ses fils comptaient. Sa voix, en parlant de Katy et en s'adressant à elle, avait quelque chose de dur qui me déconcertait. Quel besoin avait-elle de rappeler à Katy comment Aylward avait contracté les lésions et blessures dont il souffrait? Il faut reconnaître que Katy n'avait ni le ton ni les mots avec lesquels une fiancée s'adresserait normalement à sa future belle-mère, mais elle avait vécu dans un état de tension considérable, si ce n'est dans la provocation. Une femme compréhensive aurait fait la part des choses et n'aurait pas laissé paraître qu'elle mourait d'envie de donner une fessée à Katy.

– Elle a été gravement choquée, risquai-je.

– Et mal élevée, vous voulez dire! Elle se conduit comme une gamine quand l'envie l'en prend, rétorqua Mary. Si seulement Aylward avait pu tomber sur une fille qui ait un peu de contrôle d'elle-même et de bon sens! Je suppose tout simplement qu'Aylward n'a pas en lui ce qu'il faut pour attirer une fille intelligente, aux goûts un tant soit peu raffinés et compliqués. Le temps où l'on succombe à l'attrait d'un beau paquet de muscles est si vite passé.

– Est-ce ainsi que vous voyez votre fils aîné?

Je me rendis compte, un peu confuse, de ce qu'il y avait de mordant et d'ironique dans mon ton, mais Mary ne parut pas l'avoir remarqué. Elle s'était levée et s'était dirigée vers le petit buffet. Nous avions achevé de prendre le thé depuis seulement quelques minutes, mais elle semblait éprouver le besoin d'un stimulant un peu plus puissant.

– Mr Muscle, dit-elle, par-dessus son épaule d'un air amusé, mi-revêche, mi-charmeur, mais il sera un peu moins séduisant si cet accident exaspérant laisse des séquelles, ou s'il reste infirme. Il aurait avantage à s'accrocher à Katy. De nos jours, la plupart des héritières veulent épouser des hommes qui excellent dans les affaires, et non pas simplement des héros romantiques.

– Pourquoi a-t-il besoin d'une héritière?

– La réponse semble évidente. Ce n'est pas par ses propres moyens qu'il trouvera une solution qui nous permette de conserver la maison. Ce n'est pas comme s'il avait l'intelligence de Cecil ou sa force de caractère. (Elle se laissa tomber dans le fauteuil le plus proche tenant à la main un verre de whisky à demi plein qu'elle but à petites gorgées.) A propos, Cecil sera ici demain soir. Vous agirez avec précaution, n'est-ce pas, Conker?

– Dans quel sens?

– Je ne voudrais pas que ce garçon recommence à être tourmenté à cause de vous. Je ne lui ai pas dit que vous étiez ici. J'ai pensé qu'il était préférable que votre rencontre n'ait pas l'air d'être arrangée comme ce serait le cas en le prévenant.

Le garçon? pensai-je en grimaçant. Sans doute, une mère en adoration devant son fils se refusait-elle à accepter l'idée qu'il n'était plus un garçon, mais un adulte, un homme. Et il était normal de laisser à son épouse le soin de s'attaquer à cette pénible tâche; d'annuler le complexe « mère poule ». Katy avait eu assez de subtilité pour déceler ce complexe, mais je doutais qu'elle eût l'expérience suffisante pour traiter un tel problème.

– Cecil est assuré d'un grand avenir. Et rien ne doit venir ruiner ses chances, dit Mary d'un ton caustique.

Je gardai le silence. Soudain, ne la voyant plus, je sortis à la recherche de Katy.

Comme je l'avais prévu, elle était affalée sur son lit et sanglotait.

— Voyons, Katy, assez! dis-je en me laissant tomber au bord du lit. Pleurer n'arrange rien. Les larmes ne sont qu'une manière de s'apitoyer sur soi-même. Elle n'impressionneront pas Mary Decointre. Elles ne réussiront qu'à l'exaspérer.

— C'est elle qui m'exaspère, répondit Katy, dans un petit éclair d'esprit. Oh, je sais... je me rends compte que j'ai été avec elle d'une insolence épouvantable, mais elle me mets hors de moi quand elle recommence ses histoires de mère poule!

— Je vous comprends. Je réagirais de même. On parle toujours des belles-mères en faisant des plaisanteries, mais, derrière cet humour un peu grinçant, je crois qu'il y a un grand fond de vérité. Vous ne devez pas vous considérer comme une martyre unique. Les beaux-pères peuvent être une épreuve tout aussi redoutable. Et vous devez vous attendre à ce que votre papa, qui vous aime si tendrement, mette Aylward à rude épreuve.

— Mon cher papa, comme vous dites, il s'en lave les mains, il a fini de s'occuper de moi.

— Ne le croyez pas! Ce genre de colère n'est pas sincère. Il s'attend à ce que vous ayez réfléchi et il est sûr de vous retrouver à son retour de voyage, parfaitement repentante et prête à vous jeter dans ses bras.

— On voit bien que vous ne le connaissez pas. (Elle eut un petit ricanement :) C'est plus probablement Angela qu'il aura envie de serrer contre lui. Comme il a un peu l'air d'un jeune homme, il s'imagine qu'il l'est. Ce n'est pas du tout le mâle selon Mrs Decointre, le « cher papa » de n'importe quelle fille. Il n'a que quarante-trois ans, mais paraît beaucoup moins.

— Oh! Je ne savais pas.

— Tous les gens se l'imaginent comme le typique

magnat de la finance, et s'attendent à voir une tête chauve, des lunettes à grosse monture, une petite « brioche » et des manières autoritaires, alors que mon père a des cheveux blonds ondulés, des yeux bleus très vivants, une silhouette mince et un abord trompeusement amical, expliqua-t-elle. Je pense qu'avoir une fille de mon âge nuit un peu à son image, aussi il n'aime pas à être vu en public avec moi.

– Pauvre enfant! Vous avez eu la vie un peu dure, dis-je avec émotion, et elle me regarda étonnée.

– Vous dites vraiment des choses curieuses. A l'école, toutes les filles m'enviaient, autant à cause de l'allure de mon père que pour son argent. Elles l'appelaient « Glamour boy » (1).

– Séducteur? Qui souhaite la séduction à un père, ou à un mari? Franchement? Pourquoi diable ne vous êtes-vous pas débrouillée pour dénicher un solide chêne, gentil et digne de confiance?

– Vous voulez dire comme Cecil? Mais... il est tellement terne, comparé à Aylward. Intelligent, bien sûr, mais il ne le sait que trop. Il me donne l'impression d'être stupide. (Ses larmes vite oubliées, comme celles d'un enfant, elle me regarda curieusement :) Est-ce que vous allez tomber, à nouveau, amoureuse de lui?

_____

(1) Le charmeur séducteur.

9

Je me trouvais un peu méprisable de passer tout ce temps à m'attifer et à me « mettre sur mon trente-et-un », comme aurait dit ma mère; mais n'était-ce pas naturel d'avoir envie d'être en beauté pour rencontrer mon amoureux de jadis? Sa mère ne l'ayant pas averti de ma présence au pavillon, je devrais pouvoir lire son jugement dans son regard, dès qu'il le poserait sur moi.

Je serais affreusement humiliée si ses yeux trahissaient la satisfaction et le soulagement. Je n'avais pas l'ambition, à vingt-cinq ans, d'aiguiser le désir d'un homme, avec cette fraîcheur de pâquerette et cet air d'innocence qui chez Katy, étaient si émouvants. Les années, toutefois, m'avaient apporté quelque chose : un peu d'équilibre et d'assurance, du moins je l'espérais. Mon visage et mon corps étaient plus minces qu'au temps de mes études d'infirmière, et mes taches de rousseur s'étaient beaucoup estompées. Quant à mes cheveux, ils étaient toujours aussi lustrés et du même roux de bronze et mes yeux du même vert-gris.

Je n'étais pas une beauté, mais j'avais, comme m'assurait Everton Gillard, un certain charme, sortant un peu de l'ordinaire et pas du tout conventionnel, étrange comme le qualifiait Katy, agissant sur certaines personnes, et sur la plupart des animaux. Miss Henrietta y avait été sensible, ainsi que Berry et la vieille Martha.

Dans mon extrême jeunesse, j'avais envié la beauté blonde et classique de Belle, ainsi que la physionomie saisissante et éblouissante d'Angela. Comparée à elles deux, j'avais alors, il me semblait, peu de chose à offrir. Puis, le fait de vivre près de miss Henrietta avait, en me donnant un sens nouveau des valeurs, diminué mon sentiment d'infériorité. Je savais maintenant que la bonté, la compassion, le courage et le sens de l'humour pouvaient, aux yeux de quelqu'un doué de discernement, présenter des avantages autrement plus grands et plus durables qu'une soyeuse chevelure blonde ou des yeux de braise.

– Il est ici. (Katy avait bondi dans ma chambre sans prendre la peine de frapper.) Il a changé de voiture. Il a une Saab maintenant. Il a vraiment l'air du généraliste qui a réussi. Vous ne vous sentez pas un peu mal à l'aise de le revoir?

– Pas le moins du monde, j'en suis étonnée moi-même, dis-je avec franchise. Je m'attendais à être toute troublée, mais je suis d'un calme qui me déçoit presque.

– C'est vrai que vous avez l'air très détendue... et très élégante. Ce ton de vert indéfinissable vous va très bien et, bien sûr, vous avez des jambes superbes. Qui sait s'il ne regrettera pas, en vous voyant, de vous avoir laissé tomber?

– Je croyais, dis-je, comme si je pensais tout haut, qu'il avait depuis bien longtemps épousé sa cousine canadienne. Je me demande pourquoi il ne l'a pas fait?

– Je peux vous le dire. (Elle rit d'un air espiègle :) Je le tiens d'Angela : la cousine aurait trouvé Cecil trop prétentieux, trop vaniteux, voulant réussir beaucoup trop vite. Elle avait convaincu le vieil homme que c'était le moyen de torpiller la clinique, et il la lui a laissée. Cecil a beaucoup souffert de cette décision.

– Sûrement, et je le comprends. « Prétentieux »? Je ne crois pas. Seulement une immense confiance en lui. Il n'avait pas huit ans que déjà on le surnommait « monsieur l'Intelligent ». Il pouvait difficilement ignorer qu'il l'était.

– Peut-être qu'elle l'était davantage. Ou peut-être qu'elle est du genre M.L.F., suggéra Katy. Cecil doit seulement maintenant apprécier votre dévotion à sa personne.

Il y a encore une semaine je n'aurais pas songé à douter de l'exactitude du mot « dévotion » qu'elle venait d'employer en parlant de moi. Je supposais que le culte de Cecil n'était pas mort en moi. N'étais-je pas parmi ceux visés dans la chanson en vogue « Fidèle à un rêve »? Il n'y avait pas eu d'autre homme dans ma vie. Jusqu'à ma visite au bureau d'Everton, pour laquelle je plaidais à peine coupable. Non pas qu'il y ait jamais eu en moi la moindre idée de le prendre au sérieux, mais il ne m'avait pas déplu de constater que lui me prenait au sérieux. Je n'avais pas l'intention de terminer ma vie en victime d'un amour malheureux. Je n'étais pas du genre martyre. Si j'avais mené une vie moins retirée, j'aurais été sans doute mariée depuis longtemps.

Katy était assez jeune, elle, pour se sentir fière de sa dévotion absolue à Aylward. Moi, en revanche, j'étais assez âgée pour me sentir humiliée de n'avoir pas encore trouvé à remplacer Cecil. Il était fort possible que ce sentiment fût dû à son contact; ce qu'on acceptait et trouvait si compréhensible pour une fille de dix-huit ans, me paraissait pour une femme de vingt-cinq une sorte de faiblesse et de complaisance envers soi-même.

Tête bien droite, épaules rejetées en arrière, je suivis Katy dans l'escalier. J'étais fermement décidée à ne pas donner à Cecil l'impression que je me consumais du désir de reprendre le fil de l'histoire.

Il était debout dans le salon surchargé, le dos tourné à l'âtre vide, un verre de sherry à la main. Je le regardai, ou plutôt, je le fixai, presque hébétée. Cinq ans peuvent marquer un être de façon très inégale. J'avais, je le supposais, acquis une certaine maturité au cours des cinq dernières années, mais je n'avais pas changé. Cecil, je m'en rendis compte dès le premier regard, était à peine reconnaissable. J'essayai de me répéter, un peu irritée, qu'un généraliste sur le chemin de la réussite ne pouvait ressembler à un de ces étudiants mordus par la médecine, à l'air négligé et un peu étique. J'aurais dû m'attendre à un changement, certes, à une apparence plus civilisée, une version plus moelleuse du Cecil d'autrefois. Mais ce qu'il m'eût été impossible de prévoir, c'était la modification, l'espèce de pli absolument parfait qu'offrait le produit actuel : les cheveux bruns luisants, coiffés dans un style impeccable, les lunettes d'une taille exagérée, serties d'une monture noire, également impressionnante, les pommettes, jadis saillantes, maintenant arrondies, et l'étoffement de cette silhouette que j'avais connue presque décharnée. Comment aurais-je deviné qu'il pût jamais devenir grassouillet, ou qu'il adopte un jour le complet-veston gris argenté, venant visiblement d'un grand tailleur, avec chemise de soie bleu lavande et cravate assortie?

Je demeurai sur le seuil, comme clouée sur place par le choc. Le cliché usé « j'en croyais à peine mes yeux » prenait pour moi soudain tout son sens.

— Est-ce qu'il n'a pas l'air « super »? me murmura Katy à l'oreille, attribuant sans doute ma réaction à l'admiration. Il est gentil tout de même. (M'attrapant par le bras, elle me traîna en avant :) Hello, docteur! J'ai trouvé mon infirmière et elle est formidable. Regardez-la bien!

Il fronça le sourcil comme s'il n'appréciait pas ce manque de tact un peu puéril, puis se tourna avec un geste poli, mais désapprobateur.

130

La lumière faisait des reflets sur les verres de ses lunettes, ce qui m'empêchait de voir ses yeux, mais ses mâchoires pendantes étaient si expressives que c'en était presque comique.

– Quoi? lança-t-il. Connie? Est-ce Connie Smith? Pour une surprise... c'est une surprise...

– Pas un choc trop violent, j'espère? (J'étais ravie de constater que ma voix était plus calme et plus assurée que la sienne.) Comment allez-vous, Cecil? On dirait que vous êtes en pleine prospérité.

– Oh, oui! Ça marche très bien pour moi, merci. Et pour vous? Comment se fait-il que vous soyez ici? Vous n'êtes pas à Saint-Cyriac, maintenant...

Ainsi, il avait pris la peine de s'en assurer. Pourquoi? Par curiosité ou poussé par un instinct de défense?

Personne, certainement, même pas Katy, ne pouvait imaginer qu'il était ravi de me revoir. Il était clair, et douloureusement pour moi du moins, qu'il réagissait comme un hérisson qu'on pousserait à coups de bâton.

– Non, dis-je calmement. Je me suis occupée de malades privés, depuis la mort de ma mère, puis étant tombée sur l'annonce qu'avait fait paraître votre mère, j'y ai répondu.

– Elle m'a dit avoir reçu un nombre impressionnant de réponses...

Il s'arrêta brusquement, comme s'il comprenait un peu tard qu'il ne pouvait décemment dire : Je me demande bien pourquoi elle vous a choisie.

– Vous ne croyez pas que c'est une chance? Pour nous, bien sûr, rectifia Katy gaiement. Dès l'instant où j'ai vu Connie, j'ai senti que nous allions nous entendre. Elle n'a rien de ces infirmières que j'ai eues à l'hôpital. Elle est tellement plus humaine.

– Je vous crois facilement... (De nouveau, il se contrôla et ses lèvres se crispèrent dans un petit sourire glacial :)

Vous n'avez jamais été très passionnée par le métier d'infirmière, n'est-ce pas, Connie? On vous y a poussée, un peu contre votre gré. Ce qui m'étonne, c'est que vous ne vous soyez pas tournée vers quelque chose qui ait un rapport avec la vie domestique. Vous auriez été parfaite pour aider une mère à élever ses enfants.

– Vous pensez?

J'avais parlé d'un ton suave et j'aurais pu m'adresser à n'importe quel étranger. Je me cabrais intérieurement. Avait-il délibérément cherché à me piquer au vif? Une aide familiale, non vraiment! Avait-il oublié ce qu'il avait toujours su, me concernant? « Lad » m'aurait beaucoup mieux convenu, ou même « employée d'éleveurs de chiens ».

– En fait, répondis-je, je suis restée pendant plusieurs années auprès d'une romancière très connue, et dont j'étais à la fois la secrétaire, l'infirmière et le chauffeur. Je ne pense pas que j'excellerais particulièrement dans le soin des jeunes enfants.

– C'est aux mères que je pensais. Vous avez été si dévouée à la vôtre.

Cette plaie-là saignait-elle toujours? Je me le demandais, un peu choquée. Ne me pardonnerait-il jamais d'avoir refusé d'abandonner ma mère? Mais... si j'avais vraiment compté pour lui, il aurait continué à m'attendre, au lieu d'accueillir avec tant d'empressement sa liberté.

– Elle a laissé à Connie sa voiture, son chien, sa bibliothèque, lui dit Katy. Et nous partons demain pour la Cornouailles pour aller chercher le chien.

– Pour la Cornouailles? Ce n'est pas à conseiller, ma chère. Vous n'êtes pas encore en état de supporter la fatigue d'un tel voyage, dit Cecil dirigeant à nouveau son attention sur Katy. Vous avez été très éprouvée.

– Vous pouvez le dire! Et je suis loin d'en être sortie, mais avec Connie, c'est moins dur. Si elle descend en

Cornouailles, je l'accompagne. Voilà qui est clair! Votre mère et moi, nous nous exaspérons mutuellement. En fait, je l'énerve tellement qu'elle s'est mise à boire.

– Pauvre petite sotte! Il faut toujours que vous exagériez.

Cecil lui avait parlé sur le ton doux du bon oncle indulgent, et je ne fus pas le moins du monde surprise de l'entendre lui répondre hargneusement :

– Oh! Assez de vos manières professionnelles! Je vous dis qu'elle boit trop. N'est-ce pas vrai, Connie?

– Qu'entend-on par « trop »? ripostai-je. Il serait sans doute incorrect de dire que Mrs Decointre boit de façon excessive, mais dans l'état nerveux où elle est, je ne pense pas que le whisky soit très bon pour elle.

– Est-ce là votre point de vue professionnel, infirmière Smith?

Il essayait visiblement la manière taquine comme Aylward aurait pu le faire mais, chez Cecil, le ton sonnait faux et cassant. Il n'avait jamais eu la gaieté et le sens inné de l'humour que possédait son frère. Très tôt, pour Cecil, les banalités telles que « la vie est terriblement réelle », ou « la vie est une chose sérieuse » avaient été des évidences.

La façon dont il avait appuyé sur le mot « professionnel » me choquait. Si, tout comme Belle, il déplorait que je me sois refusée à retourner à Saint-Cyriac, pourquoi ne pas le dire carrément? Pourquoi ces allusions et ces critiques lancées avec si peu de subtilité? Et si je ne possédais pas ce sens de la vocation que Belle tenait de mère, je n'étais pas la seule à ne pas l'avoir. Nombre d'étudiantes-infirmières avaient abandonné avant de passer leurs examens, et ceci pour un tas de raisons diverses.

– Oh, c'est bon, n'explosez pas! Je ne me plains pas de votre mère, interrompit à nouveau Katy. Je dis simplement que je ne resterai pas ici sans Connie. Et d'ailleurs à quoi cela servirait-il? Nous sommes allées voir Aylward hier, et il ne se souvient toujours de rien. Je veux dire de *moi*. Mais il l'a assez vite reconnue.

– Que dites-vous? Vous avez emmené Connie rendre visite à Aylward? (Il paraissait sincèrement agité :) C'était très imprudent.

– Pourquoi? Il n'en a pas été troublé. Je dirai qu'en fait, il a paru ravi de la voir. Il l'a appelée « Conker » et l'a embrassée comme s'il embrassait Angela, dit Katy avec une innocente franchise. J'en ai été très jalouse.

– Dans l'état mental encore précaire qu'est celui d'Aylward, tout choc émotionnel peut retarder sa guérison. Nous ne tenons pas à ce qu'il se replonge dans son enfance, n'est-ce pas? dit Cecil d'un ton réprobateur. C'est possible... ce retour en arrière. Une manière de fuite ou d'évasion.

– Aylward cherche-t-il l'évasion dans son subconscient? Pourquoi? Et à quoi voudrait-il échapper? demandai-je immédiatement.

– Aux responsabilités de l'adulte et aux décisions qu'implique cet état d'adulte, répondit Cecil sans hésiter. La mort de père lui a donné un coup. Il ne tenait pas à être chef de famille; à devoir quitter notre maison et à être seul pour surnager, ou pour sombrer. Vous devez vous souvenir combien il était dépendant d'Angela, dans le passé. Si elle n'était pas là pour le stimuler ou lui dire ce qu'il fallait faire, le pauvre vieux était comme un bateau à la dérive.

– Tout de même, il ne semble pas s'être trop mal débrouillé, dis-je irritée par son dénigrement. A la télévision, il n'a pas mal réussi. Et si, dans le passé, il cédait toujours à Angela, je pense que ce n'était pas par manque de caractère, mais parce qu'il n'aimait pas la bagarre.

– Ce qui, en la circonstance, revient au même.

– Je ne sais pas. Beaucoup d'hommes qui ont des épouses autoritaires se prêtent à leurs caprices pour la seule raison qu'ils trouvent inutile de se chamailler pour des vétilles, protestai-je. Vous et moi acceptions aussi de suivre les directives d'Angela. Belle était la seule à ne pas lui emboîter le pas.

– Belle? Oh, oui! Votre ravissante sœur. Comment va-t-elle? demanda Cecil, avide de changer de sujet. Toujours infirmière en Devonshire?

– Oui, toujours. Mais il est possible qu'elle revienne à Saint-Cyriac. Pour s'occuper du nouveau service.

J'étais ravie de lui jeter cela en plein visage. Il pouvait me considérer moi comme une ratée, du point de vue carrière, mais certainement pas Belle.

– Vraiment? (Il n'était visiblement pas très enthousiasmé. Il fit une pause, l'air mal à l'aise, puis dit poliment :) Puis-je vous offrir un peu de sherry?

Nous fîmes toutes deux un léger signe de tête. Le regard de Katy allait de Cecil à moi, d'un air troublé et interrogateur. C'était le regard d'un enfant qui a conscience que ses aînés ne sont pas d'accord, mais qui en ignore la raison. Je haussai les épaules. Comment pouvais-je l'éclairer, quand moi-même j'ignorais la réponse? Cecil dont, jadis, je connaissais toutes les humeurs, m'était à présent aussi impénétrable qu'une figure de cire.

J'en éprouvais de la tristesse et, en même temps, comme du soulagement. Je pouvais, maintenant, regarder notre longue association comme on se rappelle une très grave maladie, dont on s'est miraculeusement remis. Je continuerais, sans aucun doute, à me rappeler, mais mes souvenirs concerneraient quelque chose d'infiniment loin de moi.

« Même la plus traînante des rivières finit par gagner la mer en serpentant », pensai-je, et je souris.

La rivière qu'était ma vie n'était pas le moins du monde traînante. Elle était avide « de courir », après les années calmes passées à serpenter à travers les prairies tranquilles. Ce ne serait peut-être pas une mauvaise idée que d'encourager un peu Everton...

Cecil me fixait, le front plissé. Il m'apparut qu'il avait l'air piqué de me voir sourire; piqué parce qu'il en ignorait la cause. Je suppose que, pour lui, j'avais cessé d'être un livre ouvert. La distance entre nous était telle, maintenant que nous ne pouvions même plus nous adresser des signes.

Ce fut Mary Decointre qui rompit la tension, émergeant de la cuisine, le visage coloré et l'air harassée.

– Désolée de vous faire attendre ainsi. Mais j'ai réussi à avoir quelques truites et j'essayais de faire une certaine sauce dont Cecil raffole tout particulièrement, se hâta-t-elle d'expliquer... Un des œufs que j'avais rapportés du supermarché n'était pas frais, ce qui fait que j'ai dû jeter la sauce et la recommencer.

– Tu n'aurais pas dû te donner autant de peine pour moi, dit Cecil en lui souriant avec douceur. Souviens-toi que je ne suis plus un étudiant toujours affamé. La nourriture est excellente chez les Kay.

– Je le crois volontiers, dis-je gentiment. Vous ne faites certes pas pitié. Vous semblez luisant de santé.

– Le Dr Kay et sa femme ont une grande estime pour Cecil, dit sa mère avec fierté. Il a son propre appartement chez eux et prend la plupart de ses repas avec eux. Cecil prétend qu'elle est un véritable cordon bleu. Je ne pense pas pouvoir obtenir la comparaison.

Les repas que j'avais pris au pavillon n'avaient pas jusque-là été une révélation. Une femme du village donnait quelques heures le matin et préparait le déjeuner. Quant au dîner, c'était un petit repas très léger dont Mary Decointre se chargeait. Et le breakfast, toasts, café et jus de fruit, la première à descendre le matin s'occupait de le préparer.

Je n'avais pas prévu que Mary se mettrait en frais pour Cecil, sinon je lui aurais offert de l'aider à préparer le dîner. J'avais beaucoup appris avec mère et miss Henrietta et je crois pouvoir dire que j'étais une cuisinière très honorable.

Au temps du château, les Decanter avaient, bien sûr, tout le personnel nécessaire à la cuisine et à l'entretien de la maison. Et je pense que Mary avait dû attendre de venir vivre au pavillon pour apprendre à se battre avec des instruments de cuisine. Mère n'avait cessé de soutenir que la bonne cuisine était surtout une question de bon sens, mais Mary, bien évidemment, entretenait des illusions de grandeur.

La soupe de « volaille » en boîte était visiblement d'une qualité coûteuse, mais avait été trop diluée. Les truites étaient trop grillées sans doute parce que Mary avait eu des ennuis avec sa sauce, laquelle, plaisamment assaisonnée, était malheureusement grumeleuse. La salade qui accompagnait le poisson avait l'air sympathique, mais la laitue s'était ramollie et la betterave était dure comme un caillou. Un énorme bloc d'ice-cream au rhum et aux raisins, décoré de meringues, achetées elles aussi, constituait le dessert.

Cecil se servit par deux fois, très largement, et je compris que son goût pour les douceurs ne l'avait pas quitté avec les années. Je revoyais le temps où tout son argent de poche de la semaine disparaissait en cornets de glace des boutiques du village. Angela, elle, économisait toujours pour un rouleau de pellicule. Aylward achetait des cacahuètes qu'il partageait avec ses oiseaux à moitié apprivoisés, et moi, je choisissais un pain de sucre pour les poneys et des chips pour moi-même. Il y avait des années que je n'avais pas songé à ces matinées du samedi, l'événement de la semaine, où, riches de notre argent nouvellement reçu, nous partions faire les magasins du village; mais tout me revenait, maintenant, en regardant Cecil attaquer sa seconde portion de glace.

Le fait que déjà, en ces temps lointains, Cecil choisissait toujours quelque chose qu'il n'avait pas à partager, trahissait-il son véritable caractère? Aylward ne manquait jamais de nous offrir, à Angela et à moi, quelques-unes de ses cacahuètes, et j'en faisais autant avec mes chips et mon sucre.

La conversation, au cours du dîner, fut ce qu'il convient d'appeler banale, maintenue volontairement, je l'avais senti, par Mary et Cecil sur des sujets complètement impersonnels. Et la discussion étant venue à porter sur le coût de l'entretien d'une voiture avait tout naturellement conduit Mary, tandis que nous attendions que Cecil en ait fini avec son ice-cream, à me renouveler ses conseils quant à la Cortina que, selon elle, je serais sage de changer contre une voiture plus petite.

— C'est ridicule de faire de la sentimentalité au sujet d'une voiture, déclara-t-elle. Je suis certaine que votre ami notaire serait de mon avis. Le fait que votre vieille amie vous ait laissé cette Cortina ne vous crée pas l'obligation de la garder.

— Votre ami notaire? demanda vivement Cecil.

— Oh, le nouvel admirateur de Connie!

Son ton et son sourire auraient pu donner à penser que je « les » collectionnais, comme des timbres-poste. Elle se mit en devoir de régaler Cecil en lui livrant les quelques bribes d'information qu'elle avait réussi à m'arracher concernant Everton. Rien de bien sensationnel dans ces révélations, mais elles parurent déplaire nettement à Cecil.

Je faillis crier à Mary : « ˉ Attention! Ne connaissez-vous pas votre fils? Ne comprenez-vous pas que vous ne le détachez pas de moi? Tout au contraire, vous ne faites que lui donner l'envie de se jeter dans la compétition? »

J'avais, en fait, à peine avalé mon café que ce besoin se manifestait.

— La nuit est très agréable, Conker. Voulez-vous que nous fassions quelques pas? dit Cecil, et c'était plus un ordre qu'une invitation.

Peut-être avais-je éprouvé quelque chose, mais je répondis « *Pourquoi?* » d'un ton tranchant.

« *Pourquoi?* » Pendant un instant, il sembla déconcerté, puis bien vite il se réfugia derrière l'alibi professionnel :

— Parce que, si vous êtes vraiment décidée à emmener Katy en Cornouailles, je voudrais vous donner certains conseils...

10

Cecil avait plus de subtilité que sa mère, je m'en rendis compte. En prétendant qu'il désirait me parler du bien-être de ma patiente, il avait anéanti chez sa mère tout désir d'envoyer Katy se promener avec nous.

– Nous ne serons pas longs, dit Cecil en adressant à Mary un petit sourire rassurant. J'ai simplement besoin de mettre au point une ou deux choses avec Connie. J'ai l'impression qu'elle s'est jetée dans cette tâche sans avoir reçu, au préalable, certaines informations utiles.

Cela impliquait que, pressée par l'urgence de trouver un emploi, je m'étais précipitée sur celui-ci; que j'avais peut-être même supplié pour l'avoir, « en souvenir du passé ». Tactique habituelle, ou autrefois habituelle, de la part de Cecil. Je me souvenais quel chic il avait pour dénigrer un rival ou un adversaire. Jamais cependant, dans le passé, il en avait usé ainsi à mon égard. Pourquoi, maintenant, éprouvait-il la nécessité de me diminuer, comme si j'étais, d'une certaine façon, une menace pour lui?

Une nuit très agréable? Plus qu'agréable. C'était tout simplement une nuit exquise, sans vent, tiède, et toute chargée de senteurs de fleurs; une nuit pour des amants.

– Par une nuit comme celle-ci... citai-je d'un ton rêveur,

tandis que nous suivions le chemin, côte à côte, mais sans nous effleurer.

Je sentis soudain que mon visage brûlait... Je n'avais pas cité cette ligne poétique comme une provocation...

Dieu merci, il n'avait pas semblé s'en souvenir, et demanda d'un ton maussade :

– Pourquoi fallait-il que vous reveniez ici? Plutôt inconséquent de votre part, vous ne pensez-pas?

– Inconséquent? Non. Tout, sauf cela, aurais-je pensé en ce qui me concerne. « Constant » de nom et « Constant » de nature. C'est ainsi, vous souvenez-vous, que m'appelait Angela?

– Constant? En quoi? Vous étiez assez pressée de quitter le village après la mort de votre père.

– Oh! non! Pas moi. C'était Belle qui a insisté pour que nous allions à Devon afin de nous rapprocher d'elle. Je suppose que mère lui créait un problème de conscience qu'elle faisait taire en gardant un œil sur elle.

– Vous auriez pu revenir après la mort de votre mère?

– Le pouvais-je? dis-je d'un air ambigu. Et en tant que... quoi? Je devais trouver un emploi.

– Vous auriez pu revenir à Saint-Cyriac. Vous y auriez été très bien accueillie.

– C'est possible, mais... à quoi tout ceci sert-il, Cecil? C'est vraiment sans importance.

– Qui sait? Mais c'est troublant. Pourquoi faut-il que vous ayez choisi d'apparaître à nouveau dans nos vies juste à présent... dit-il avec humeur. Vous ne pouviez pas trouver un moment plus inopportun. Mère aurait dû s'en rendre compte.

– Inopportun? répétai-je. Et pourquoi?

– A cause de Katy – et d'Aylward. Il sort de l'hôpital la semaine prochaine. Comment va-t-il réagir à votre présence?

– Favorablement, je suppose. Pourquoi en serait-il autrement? Nous avons toujours été très bons amis, dis-je sur la défensive.

– Et Katy? Que pensera-t-elle de votre amitié? La pauvre gosse est à la limite de la résistance. Je ne sais pas ce qui peut se passer, si quelque chose de nouveau vient l'aiguillonner.

– Vous pensez qu'elle a des tendances au suicide? Votre mère le croit, elle aussi. Moi pas. Katy veut aimer et être aimée... mais l'être pour elle-même, et pas pour l'argent ou les relations de son père. Je ne parviens pas à les voir, Aylward et elle, comme un couple. L'aurait-il oubliée si elle avait vraiment compté pour lui?

– Vous êtes toujours aussi romantique et idéaliste, à ce que je vois, dit Cecil d'un ton cassant. Redescendez sur terre! Il ne vous est jamais venu à l'esprit que personne, dans cette famille, ne pouvait s'offrir le luxe de ne pas être réaliste?

– Voulez-vous dire que vous ne pouvez pas vous offrir le luxe d'aimer? Concept vraiment réaliste, en effet.

– Il s'agit d'être pratique. Pour l'instant, Angela se débrouille très bien, mais la popularité qui est la sienne est d'un genre presque aussi éphémère que celle d'Aylward. Qu'il disparaisse pendant quelques mois et personne ne se souviendra de lui, continua-t-il avec mauvaise humeur. Le monde du show-business est un coupe-jarret, une course épuisante, sans aucune vraie sécurité, jamais.

– Mais votre profession est passablement sûre.

– D'accord, mais, du point de vue financier, on ne peut pas dire que ce soit aussi brillant que ce qu'imaginent beaucoup de gens. Nos frais sont très élevés et ne cessent d'augmenter.

Nous ne distinguions plus le pavillon d'où nous étions, et le château n'était pas encore visible. Un tournant aigu nous cachait des deux directions. S'arrêtant brusquement, Cecil se tourna vers moi, le visage grimaçant.

– Pourquoi ne pas nous avoir laissés en paix? Pourquoi être revenue pour me tenter et me mettre au supplice? dit-il sauvagement.

– Mais... je... je ne pensais pas en être encore capable, répondis-je troublée. Pas après tout ce temps. Je pensais que vous m'aviez oubliée.

– Je le croyais. (D'un geste violent il me saisit par les poignets en disant :) Ne voyez-vous pas que je ne peux pas me permettre de me souvenir de vous? De me laisser aller à m'intéresser à vous de nouveau? Mais ne comprenez-vous pas que je ne supporte plus d'être toujours à court d'argent, comme c'est le cas depuis que père est mort en laissant une situation terriblement embrouillée?

– La pauvreté est une question de degré, dis-je, consciente que c'était la pire des banalités. Vous avez, tous trois, gagné plus d'argent que je ne le pourrai jamais, ni Belle non plus, en dépit de ses qualifications.

– C'est différent pour les filles, les filles dans votre position. Personne n'attend de vous que vous fassiez sensation. Je sais bien... je pourrais ne pas me tourmenter si j'avais choisi de vivre et de mourir comme un médecin de campagne, bûcheur et sans ambition.

– Ce qui ne vous suffit pas...

– Pourquoi m'en contenterais-je? Je suis intelligent et ambitieux. Pourquoi ne songerais-je pas à être un grand patron généraliste?

– Aucune raison contre.

– Oh, que si! Il y en a! Argent, rang social et influence comptent toujours. Combien atteignent le sommet de l'échelle par leur seul mérite? Trop peu. Essayez, Conker, de voir les choses de mon point de vue. Né un Decointre du château des Cointreaux, pourquoi accepterais-je de m'encroûter et de demeurer obscur?

– Je ne vois pas pourquoi, en effet, répétai-je, tout en grimaçant car ses doigts me meurtrissaient. Pourquoi m'en vouloir, à moi? Je ne cherche pas à vous faire obstacle. Laissez-moi! Vous me faites mal...

– J'aimerais vous faire mal... vous secouer et vous battre. Que le diable vous emporte! Je n'ai jamais désiré une fille comme je vous ai désirée, vous... mais je veux bien être pendu si je vous laisse bousculer mes projets d'avenir...

C'était là une des facettes de son caractère que je n'avais jamais encore soupçonnée et ce n'était certainement pas un aspect de lui très plaisant. Je dégageai mes mains de son emprise, en reculant involontairement.

– Inutile de me dévisager, comme si je jouais les Dalila. Je ne vois pas ce qui pourrait vous permettre d'imaginer que vous m'intéressez encore le moins du monde.

– Cela saute aux yeux. Vous n'auriez pas bondi sur ce poste s'il ne s'était pas agi de nous. Angela prédisait toujours que nous n'étions pas débarrassés de vous, que nous nous reverrions, elle ajoutait que, même enfant, vous étiez déjà terriblement tenace, rétorqua-t-il avec rudesse. Je crois qu'Angela serait capable de vous tuer si elle pensait que vous risquez de bouleverser son plan qui est de mettre la main sur les millions d'Haylett.

– Vous me flattez beaucoup. Je ne m'étais jamais considérée comme quelqu'un d'aussi important, en qui le cercle de famille pouvait voir un danger possible.

– Ne plaisantez pas! Vous étiez déjà très attrayante au temps où vous étiez une adolescente candide. Et vous êtes infiniment plus dangereuse maintenant que vous avez pris conscience de vos charmes.

– Vous parlez sérieusement? dis-je d'un air incrédule. Vous ne m'avez jamais dit de telles choses quand nous étions fiancés.

– C'eût été dommage de ruiner ce délicieux naturel,

cette absence totale de préoccupation de l'effet produit. Vous étiez aussi ouverte et confiante qu'une enfant.

– Oui.

Je me retins d'ajouter : je croyais en *vous*... Mais son visage soudain s'empourpra.

– Ne me rendez pas les choses plus difficiles, Conker. Je comprends pourquoi vous avez éprouvé le besoin de venir ici, mais vous devez vous rendre compte que c'est impossible. Quand nous avons loué le château, nous avons fait le serment d'y revenir un jour, expliqua-t-il lentement. Ce devait être l'affaire d'Aylward, mais on ne peut se fier à lui pour réaliser cette promesse. S'il ne se ressaisit pas, Katy se détournera de lui.

– *Non!* Exprimé de cette façon, c'est d'un cynisme haïssable... et ça ne ressemble pas du tout à Aylward.

– Toujours l'incurable petite romantique? C'est facile d'avoir l'air choquée par l'idée d'un mariage d'argent, mais si la chance vous était donnée de jouer Cendrillon, est-ce que vous ne sauteriez pas dessus? Vous savez fort bien que vous le feriez, dit-il cyniquement.

Je secouai la tête. Je fis demi-tour pour revenir au pavillon. Inutile de prolonger l'entrevue. Qu'avions-nous encore à nous dire?

Sa main, instantanément, chercha la mienne. Cette fois, me saisissant par les bras, il me fit pivoter violemment pour lui faire face. Puis il m'embrassa... non pas de la façon légère à laquelle il m'avait habituée dans le passé, mais sauvagement et avec une passion aussi étrangère à son ancienne image qu'à la nouvelle. C'était le genre d'étreinte dont la description dans un roman ne vise qu'à donner le frisson au lecteur, par personne interposée. Je n'avais jamais connu une pareille expérience. J'étais si effarée et déçue que, au lieu d'accélérer le rythme de mon cœur, balayer tous mes scrupules, et triompher de ma résistance, en m'emportant au septième ciel, Cecil ne faisait que me faire mal physiquement, en m'empêchant de respirer et me brisant les os.

Bref, je me sentais mal à l'aise et gauche et bien loin d'être « inspirée ». C'était comme si on m'avait brusquement projetée sur une scène sans la moindre répétition et sans même savoir, à la vérité, quelle pièce allait se jouer. J'avais eu des cauchemars du même genre, des cauchemars où je me trouvais soudain au beau milieu d'une situation terrible dont les préliminaires ne m'étaient pas révélés.

Je sentais contre mon visage la chaleur de sa respiration, mais ses mains me glaçaient le corps à travers le tissu léger de ma robe. Avec l'obscurité grandissante, l'air s'était rafraîchi. Nous n'étions encore qu'en mai, ce mois réputé être le plus traître de l'année. J'aurais dû refuser de « faire quelques pas ». Mais comment prévoir ce qui allait se passer?

Je me tortillais, me débattais. Je ne tenais pas à offenser sa fierté ombrageuse... mais je savais que, s'il continuait à me maintenir dans cette pénible position, j'aurais droit demain matin à un solide torticolis ou à un lumbago. En désespoir de cause, je me laissai glisser et m'affaissai sur les genoux, victime de ce que le roman victorien aurait appelé une « pâmoison virginale ».

Mon idée, Dieu merci, fut plus efficace que le coup de pied dans le tibia, solution que j'avais à l'esprit, et sans causer apparemment aucune offense.

– Du calme! Ressaisissez-vous, Conker! lança-t-il, inquiet. Que se passe-t-il?

Je ne répondis pas et, gardant les yeux hermétiquement clos, je m'écroulai contre lui. Il me secoua légèrement, d'un geste impatient. En parfaite actrice, je laissai ma tête pendre sur son épaule tout en poussant un petit gémissement.

– Allons, voyons! (Il avait l'air aussi démonté qu'un

étudiant en médecine aux prises avec son premier accidenté.) Allons, nigaude, reprenez-vous! Je ne vous ai fait aucun mal...

Effrayée soudain à l'idée qu'il pourrait, dans un geste de panique, me déposer sur l'herbe bordant le chemin, gâtant ainsi ma plus belle robe, je poussai un grand soupir en battant des paupières.

– Je me sens drôle... dis-je d'une voix faible.

– Navré, mais vous n'avez eu que ce que vous méritiez. Vous le cherchiez. Vous auriez dû avoir le bon sens de ne pas revenir nous tomber dessus.

– Oui, avouai-je. Je suppose que vous avez raison. On n'a vraiment aucun pouvoir sur ses émotions... difficile de leur faire faire marche arrière. On ne peut pas retarder l'horloge quand il s'agit de sa vie. Une machine à retarder le temps, qui ramènerait les gens dans le passé, serait une mauvaise affaire – une fois perdu l'attrait de la nouveauté. Le passé paraîtrait aux gens extrêmement désagréable.

– Allons, ressaisissez-vous! Vous semblez battre la campagne, dit Cecil d'un air consterné. Appuyez-vous sur moi, et rentrons à la maison.

– Ça va maintenant, merci. (Je m'éloignai de lui et essayai de lisser ma coiffure :) Vous deviez me donner quelques instructions concernant ma patiente, ou du moins c'est ce que vous m'aviez dit.

Il se renfrogna, puis s'éclaircit la gorge. La lumière baissait rapidement mais je vis, cependant, qu'il avait perdu une bonne partie de son assurance.

– Est-elle aussi votre patiente? demandai-je. Comment cela se fait-il?

– Pas officiellement. Oh, non! J'ai simplement essayé, en bon frère, d'avoir l'œil sur elle depuis qu'elle est sortie de l'hôpital, expliqua-t-il. Elle n'a pas vu son médecin de famille depuis qu'elle est partie brusquement de chez elle pour se réfugier auprès de mère. La situation pour nous était un peu embarrassante, mais nous pouvions difficilement la renvoyer, surtout que son père était sur le point de partir pour les Caraïbes. Katy n'est pas en état de rester seule. Dieu sait ce qu'elle serait capable de faire.

– C'est vous qui avez suggéré qu'elle avait besoin d'une infirmière?

– C'est une trop grosse responsabilité pour mère. S'il était arrivé quelque chose à cette idiote d'enfant, c'est nous, sans hésiter, que son père aurait blâmés. Maintenant... (Son air se fit soucieux :) Vous vous rendez compte, j'espère, dans quoi vous vous êtes embarquée?

– Oui, dans une certaine mesure.

– Et la perspective ne vous inquiète pas?

– Je n'ai encore décelé aucune preuve de tendances suicidaires, répliquai-je vivement. Ou d'aucune faiblesse d'esprit. Katy a été gravement choquée et elle est très inquiète et malheureuse au sujet d'Aylward. A part cela, elle me semble tout à fait normale. Dans le fond, s'entend.

– C'est une instable; elle n'a aucun équilibre. Vu son milieu et la façon dont elle a été élevée, on ne peut pas attendre d'elle qu'elle ait le sens des réalités.

– Ce n'est pas la classique « enfant gâtée ». Pas du tout, protestai-je. Je dirais plutôt qu'elle souffre de certains manques, d'où ce désir d'une vie de famille heureuse.

– Vous n'avez sans doute pas l'expérience qui vous permettrait de reconnaître certains symptômes dangereux. Je ne peux que vous recommander de prendre le maximum de précautions, dit-il d'un air sévère.

Il était exact que je n'avais pas été amenée à approcher des cas de désordre mental; « des cinglés », comme on dit couramment. Et le fait même, justement, de n'avoir côtoyé que des gens normaux n'aurait-il pas éveillé en moi un sixième sens si ma nouvelle patiente avait fait montre de la moindre anomalie?

J'essayai, hésitante, d'exprimer cette opinion, mais Cecil la rejeta sans même lui accorder la moindre réflexion. Pour lui, Katy était un suicide en puissance. Si j'avais pris au sérieux, comme il l'escomptait, la somme des avertissements que je venais de recevoir, il y aurait eu de quoi me faire blanchir les cheveux.

Katy ne devait, sous aucun prétexte, s'approcher du bord de la falaise, ou d'une pente abrupte, dormir la fenêtre grande ouverte. Je ne devais pas lui permettre de conduire la Cortina. Tous médicaments, même l'aspirine, devaient être gardés sous clef. Je ne devais pas la laisser seule dans une maison où existait une installation de gaz et veiller à ce qu'elle ne cache ni couteau ni lame de rasoir. En fait, je serais même bien inspirée de lui retirer les ciseaux qu'elle pouvait avoir en sa possession...

Il n'en avait pas encore terminé son énumération que je m'écriai :

– Mais c'est tout simplement fantastique! En admettant qu'elle puisse avoir envie d'attenter à sa santé, ou à ses jours, elle ne songerait pas à une telle diversité de moyens. Le genre de femme qui se plongerait la tête dans un four à gaz n'est pas celle qui penserait à se jeter du haut d'un précipice, et vice versa. J'imagine mal Katy choisissant la violence ou quoi que ce soit qui risquerait de la défigurer.

– Vous n'imaginez pas? Vraiment?

– Certainement pas. Si elle avait une quelconque intention de se détruire, elle choisirait, par exemple, de se tourner vers une dose d'aspirine assez forte pour l'assommer, mais elle aurait pris la peine de s'arranger joliment sur son lit, en priant Dieu que quelqu'un la trouve avant qu'il ne soit trop tard, dis-je avec assurance. Ce serait un de ces actes que je regrette de ne pouvoir qualifier autrement que d'enfantin.

Il y eut un silence. Puis :

– Vous avez changé, remarqua-t-il. Je me souviens d'un temps où vous étiez moins sûre de vous-même et de vos opinions. Vous étiez plus malléable.

– Vous voulez dire, il y a cinq ans? Je suppose, en effet, que je l'étais. Je me souviens aussi n'avoir jamais eu la chance de pouvoir exprimer mes opinions. A Saint-Cyriac, j'étais à peine une étudiante de seconde année. Et à la maison, après la mort de père, c'était Belle qui prenait toutes les décisions. Avant, dans nos jeunes années, nous marchions, je me le rappelle, dans le sillage d'Angela. Au cours de ces trois dernières années, j'ai été indépendante, bien sûr. Grâce à miss Henrietta, j'ai appris à penser par moi-même et à ne pas attendre des autres qu'ils décident pour moi.

– Le changement n'est pas pour le mieux.

– C'est une question de point de vue, vous ne pensez pas? Pour moi, j'y ai gagné.

Il eut une espèce de grognement mécontent, puis, en silence, nous reprîmes le chemin du pavillon. Et je m'entendis soupirer en mettant la main sur la poignée de la porte.

La fin d'un rêve, pensai-je en ironisant. Non pas nettement tranché d'un coup de lame; non pas une fin sauvage et pleine de panache, l'explosion d'une fusée un soir de feu d'artifice, non, mais avec un soupir étouffé et un grognement. Peut-être n'était-ce que dans les romans désuets, ou dans le cœur des héroïnes démodées que le feu de l'amour, une fois allumé, continuait de brûler jusqu'à la mort, et au-delà.

Et cependant... n'étais-je pas « Constant de nom » et constante de nature? Peut-être mon amour n'avait-il jamais été désintéressé et impérissable? Ou peut-être avais-je réparti ma capacité d'amour sur toute une famille, au lieu de la concentrer sur Cecil? Après tout, c'était Angela qui, la première, nous avait associés Cecil et moi. Je ne l'avais pas choisi pour être l'unique objet de mon affection...

– Pour des retrouvailles romantiques... c'est plutôt court, dit Katy malicieusement, tandis que je me hâtais vers ma chambre. (Et tel un jeune chiot, elle m'emboîta le pas.)... Alors, c'était excitant? Est-ce qu'il vous a serrée tendrement contre lui?

– Rien d'excitant, dis-je d'une voix morne. Simplement la même perplexité et la même désillusion pour tous deux.

– Il vous a embrassée. Vos cheveux sont tout en désordre et vous êtes couverte de rouge à lèvres! dit-elle en se penchant par-dessus mon épaule pour regarder mon visage dans la glace de l'armoire, devant laquelle je m'étais arrêtée. Vous êtes pâle, et pas rougissante comme il conviendrait.

J'examinais Katy toujours penchée sur moi, le visage que me renvoyait le miroir.

– Je pense que ce qu'il veut, c'est une fiancée-enfant... un être naïf, malléable et en adoration devant lui, dis-je tristement. Avec derrière elle, l'argent, les relations qui l'aideraient à atteindre le haut de l'échelle. Je ne suis pas ce qu'il lui faut, maintenant. Je n'ai jamais aimé être sur les échelles; j'ai le vertige.

– Mais... il vous a embrassée, répéta-t-elle.

– Qu'est-ce qu'un baiser? Pas grand-chose de nos jours. Certainement pas le gage d'une éternelle dévotion. Les hommes vous embrassent en disant « Bonjour! » et vous embrassent en disant « Adieu ». Vous ne le savez pas? (Je me retournai juste à temps pour saisir l'expression de consternation et d'effroi qui emplissait ses yeux bleus.) Oh, Katy, ne me dites pas que vous avez bâti toute votre vie sur quelques petits baisers?

– Non, bien sûr! Mais comme Angela disait : « Aylward n'est pas du genre mufle. Il n'embrasserait pas une fille s'il ne l'aimait pas », dit Katy sur un ton défensif.

– Oh, ma pauvre chérie! Un homme qui a envie d'embrasser une fille aussi jolie que vous n'est pas nécessairement un mufle. Par votre extérieur et toute votre manière d'être, vous demandez d'être embrassée et étreinte. L'homme qui ne répondrait pas à cet appel ne serait pas humain.

Ses yeux expressifs s'ouvrirent démesurément comme si je venais de l'effrayer ou de la choquer. Je me sentis soudain plus vieille que mon âge. Comparée à Katy, avec son innocence encore couverte de rosée, j'étais comme une fleur qui se serait fanée sur sa tige.

Fanée! A vingt-cinq ans? Je grimaçai à l'image lugubre que me renvoyait le miroir.

– Vous feriez mieux de descendre pour dire au revoir à Cecil, dis-je tout en m'avançant vers la coiffeuse.

– Vous n'allez pas nous rejoindre?

– Oh, oui! Tout à l'heure. Nous n'avons pas besoin d'être trois pour accompagner Cecil à la voiture.

Je m'assis devant la coiffeuse et pris la brosse à cheveux. Le miroir me renvoyait l'image de Katy; ses lèvres tombaient et ses yeux exprimaient son trouble.

D'un geste impulsif elle se pencha vers moi, pressant ses lèvres sur mon front.

– Je suis peinée. J'espérais tellement que tout se terminerait bien pour vous, dit-elle dans un élan. Peut-être est-ce encore possible? Ne perdez pas espoir. « Possible? Oh, peut-être! » pensai-je tandis qu'elle fermait la porte derrière elle.

Mes yeux tombèrent sur la volumineuse enveloppe que j'avais déposée sur la coiffeuse en rentrant de Londres. Je n'avais rien dit à Cecil au sujet du legs de miss Henrietta. S'il savait que j'étais assurée d'un revenu régulier, peut-être déciderait-il que je pourrais faire l'affaire, malgré ma naissance et mon manque d'influences. Peut-être pas. Peut-être ne parviendrait-il pas à oublier totalement que j'étais la fille du maréchal-ferrant du village. « Née Smith » ne ferait pas bien dans les rubriques « mariages ».

11

– C'est ici? Comme c'est isolé! Vous avez vécu là pendant trois ans? Comment avez-vous pu? s'exclama Katy en frissonnant.

C'était une fin d'après-midi belle et ensoleillée, mais une bonne brise soufflait de l'Atlantique. Le cottage était perché en haut des falaises accidentées, au-dessus d'une petite anse incurvée. Tandis que nous remontions le sentier dallé qui menait du garage à la maison, le vent semblait se précipiter sur nous en nous enveloppant.

J'aspirais l'air froid et salé avec une espèce de gratitude. C'était comme un tonique après la poussière et les odeurs d'essence sur la route. Les oiseaux de mer tournoyaient en piaillant au-dessus de nos têtes. De derrière la porte arriva une salve d'aboiements impatients.

– J'adore cet endroit, dis-je avec franchise. Je ne m'y sentais jamais seule. Je l'étais beaucoup plus à Plymouth, après la mort de mère.

– Mais que pouviez-vous trouver à faire pendant votre jour de repos?

– Oh, beaucoup de choses! Tout près d'ici, il y avait une écurie avec d'excellents chevaux. Je montais beaucoup. En été, je me baignais. De plus je pouvais disposer de la voiture, ce qui fait que j'allais me balader quand j'en avais envie. Vous vous souvenez que je suis une fille de la campagne?

Martha avait dû entendre la voiture arriver, car la porte s'ouvrit brusquement et Berry jaillit comme une fusée en se ruant sur moi. Son corps brun et souple se tortillait; il dansait littéralement en faisant de petits bonds autour de mes chevilles, sa queue battant l'air frénétiquement, tandis que de son museau velouté il essayait fébrilement de me caresser. Je me baissai et le pris dans mes bras. Il laissa échapper de petits cris d'extase tout en cherchant à me lécher.

– Ce chien! On peut dire qu'il a été malheureux sans vous, miss. (Ce fut ainsi que Martha m'accueillit tandis que, Berry toujours dans mes bras, je montais les marches.)... Voulait plus manger, et hurlait à la mort.

– Oh Dieu! dis-je consternée. Si j'avais su...

– Pouvais pas vous atteindre, vu que vous n'aviez pas laissé de numéro de téléphone... et que vous n'avez pas songé à appeler, dit-elle sur un ton de reproche. Si votre télégramme n'était pas arrivé hier, j'aurais été obligée d'appeler le vétérinaire pour qu'il vienne chercher ce chien avant qu'il me rende folle.

– Je suis désolée. Je n'aurais jamais cru qu'il m'était si attaché. Il me semblait toujours une petite créature si heureuse de vivre, dis-je pleine de remords. Berry, mon chou, c'est fini. Tu es mon chien à moi, maintenant, et je ne te laisserai plus.

– C'est naturel. C'est miss Henrietta qui l'avait acheté. Mais qui l'a soigné depuis qu'il était un tout petit chiot, si ce n'est vous? me rappela Martha. Rentrez, ne restez pas dehors avec ce vent froid. J'ai mis l'eau à bouillir et il y a un bon feu dans le salon.

Je présentai Katy, et la vieille Martha s'exclama :

– Le bonheur des uns fait le malheur des autres, comme ils disent. Ce n'est pas qu'au chien que miss

Constant a manqué. Vous seriez surprise si vous saviez combien de gens, dans le village, se sont inquiétés d'elle, demandant quand elle serait de retour. Elle a la manière... il n'y a pas à dire. Si on en va par là, je dirai qu'elle m'a manqué. « Elle éclaire la maison » comme miss Henrietta avait l'habitude de dire.

– Elle disait cela? Comme c'était gentil de sa part! Je suppose qu'elle pensait à la couleur de mes cheveux, me hâtai-je de dire. Comment allez-vous, Martha? Bien? Vous n'avez pas peur à la tombée de la nuit?

– Je me suis sentie un peu seule, bien sûr, et je pense que, une fois venu l'automne, et surtout l'hiver, ce sera assez dur. Peut-être chercherai-je un ou deux hôtes payants.

Elle nous avait préparé un thé somptueux, vrai repas à la fourchette. J'étais ravie de voir Katy faire honneur à tout, jambon fumé, œufs avec salade verte, brioche fourrée accompagnée de crème du pays et de confiture de framboises, et une tranche de tarte aux groseilles vertes, qu'elle savoura avec une joie d'écolière.

Après nous être rôties devant les grosses bûches rougeoyantes, nous sortîmes pour donner un peu d'exercice à Berry. Tandis que nous suivions avec difficulté l'étroit sentier sinueux qui descend vers la baie, et que nous courions sur le sable avec Berry faisant des galopades autour de nous, je pensais que, décidément, Katy était, physiquement, en parfait état. Elle avait « bon pied bon œil », comme nous disions de nos poneys. Ce n'était que quand elle commençait à penser à sa chute et à l'amnésie d'Aylward qu'elle se comportait comme une hystérique. Mais, psychiquement, elle était normale et ni plus ni moins névrosée que n'importe quelle fille de dix-huit ans dont l'aventure amoureuse serait dangereusement menacée.

Elle n'avait nul besoin de la surveillance dont avait

parlé Cecil. Ce dont elle avait besoin, c'était de distraction... qui ne lui laissât pas le temps de s'appesantir sur ses problèmes. On lui aurait donné huit ans, en la voyant lancer de petits bouts de bois à Berry pour qu'il les rapporte. Elle avait pris des couleurs et ses yeux brillaient comme des saphirs quand nous reprîmes le sentier de la falaise. Quand elle était heureuse, elle était vraiment jolie à ravir, décidai-je, et le Dr McCanning me sembla être de mon avis.

Cet Ecossais roux et efflanqué! comme avait dit de lui Everton Gillard, nous attendait dans le salon. Berry se jeta sur lui, le saluant d'un aboiement, avant que nous ayons eu le temps de monter mettre un peu d'ordre dans notre tenue.

– J'ai appris que vous étiez attendue ici, ce soir, Connie. Aussi je n'ai pas pu résister à l'envie d'entrer et de voir comment vous vous en tiriez dans la grande métropole, avoua Alistair, essayant de prendre un air dégagé, mais gardant les yeux fixés sur Katy, comme s'il s'agissait d'une apparition.

Je souriais intérieurement en les présentant l'un à l'autre, car Katy, elle aussi, regardait le jeune docteur avec un intérêt évident, qu'il faisait plus que lui retourner.

– Haylett? répéta-t-il. Ce n'est pas un nom très courant... excepté... c'est celui des aliments congelés.

– C'est mon père. Le marchand de produits congelés... je veux dire, répondit Katy naïvement.

– Ah, vraiment? (Son regard allait avec curiosité de Katy à moi.) Vous n'aviez jamais fait mention, Connie, que vous étiez en relations avec les Haylett.

– Nous ne sommes pas en relations. Je n'ai jamais rencontré Mr Haylett. Mais je m'occupe de miss Haylett, pendant sa convalescence. Elle a subi un sérieux accident, assez récemment.

Berry me flairait les chevilles en geignant doucement, pour me rappeler qu'il était là. Je le pris dans mes bras.

– Tu as faim, mon bonhomme... Je vais te donner ton dîner.

J'allais me retourner pour prier Alistair de m'excuser, mais Katy, déjà, lui faisait le récit de l'accident, de sa chute, qu'il écoutait avec attention, et je me retirai en silence.

Après les jeûnes qu'il s'était imposés, Berry avait une faim terrible, et la vitesse à laquelle je vis disparaître une boîte de nourriture pour chien et une grosse portion de viande était simplement incroyable.

– Je suppose, mon petit gars, qu'un jeune vétérinaire zélé appelé en mon absence aurait sans doute diagnostiqué que tu étais atteint de « névrose », si ce n'est de tendance suicidaire! Toi et Katy, vous êtes de la même espèce... volontaires et bien décidés à n'en faire qu'à votre tête, mais à part cela, parfaitement normaux dans vos réactions. Qu'on montre à Berry une jolie petite femelle, ou à Katy un jeune célibataire bien de sa personne, et ils auront vite fait d'oublier leurs ennuis.

Berry leva vers moi son regard brun velouté et attendrissant, comme s'il tenait à m'assurer qu'il ne pourrait jamais m'oublier.

– Il est ce qu'ils appellent le chien d'un seul maître, et c'est bien vrai, fit observer Martha, depuis son fauteuil à bascule installé près du fourneau de cuisine. Il ne pourrait jamais s'habituer à un nouveau maître.

Fort heureusement, ceci ne s'appliquait pas à Katy, pensai-je en m'en réjouissant. Elle était certainement convaincue qu'Aylward était le seul homme de sa vie... mais combien d'autres hommes séduisants avait-elle rencontrés? Comme une fleur privée de lumière et de chaleur se tourne vers le soleil levant, elle s'était tournée involontairement vers Alistair.

Tout naturel et inévitable, pourrait-on dire. Mais... pourquoi n'en était-il pas ainsi avec moi? Pourquoi étais-je incapable de répondre à Alistair... ou à Everton Gillard?

Je regardai Martha, l'image même du contentement, se balançant gentiment dans son vieux fauteuil, ses pieds chaussés de confortables pantoufles et étendus vers le fourneau, un gros chat en boule sur ses genoux et deux autres endormis à ses pieds. Son visage tout ridé, mais rosé, exprimait une douce sérénité. Elle avait gagné le port; elle était à l'abri des orages. Ce havre, je l'avais partagé avec elle pendant trois ans. Je l'avais quitté, j'avais repris le large, mais pour gagner quel port?

Presque effrayante, la sonnerie du téléphone déchira le silence.

— Je pense que c'est pour le Dr McCanning, dis-je. Je vais répondre.

Le téléphone était dans le tout petit salon qui servait parfois de bureau à miss Henrietta. Je traversai en courant le passage qui y menait avec Berry sur mes talons.

— Allons! Tu vas me faire tomber. Assez! et haletante, j'atteignis le téléphone, juste comme la sonnerie s'arrêtait de retentir.

A ma grande surprise, ce fut l'opérateur qui répondit à mon « Allô » et demanda si j'étais bien « Port Mathers 267 ». Un appel de longue distance, pensai-je, soudain anxieuse. De qui? De Mary Decointre, inquiète au sujet de Katy? Qui, à part elle, savait que je serais ici ce soir? L'avais-je dit à Everton? Je ne me souvenais pas. Mais je savais l'avoir dit à Cecil. Peut-être avait-il songé à de nouvelles recommandations urgentes? Curieux, mais l'idée d'entendre la voix de Cecil m'irritait un peu. Curieux, mais attristant. Rien, en ce monde, ne durait donc? Aurais-je jamais pu croire qu'un jour viendrait où je préférerais n'avoir aucune nouvelle de Cecil...

L'opérateur appela et dit : « Parlez... » et je rassemblai mon courage.

– Conker? Que se passe-t-il? Vous avez l'air distraite. Aurais-je interrompu quelque chose?

Même à travers la distance, il était impossible de ne pas reconnaître le débit doux et traînant qui m'était si familier. Le sang afflua à mes tempes.

– Aylward? C'est vous? Non... bien sûr que non... Je suis simplement essoufflée, balbutiai-je. J'étais dans la cuisine, à donner à manger au chien. Comment, comment allez-vous?

– Bien, merci, mais je commence à m'ennuyer terriblement ici. Cecil est passé cet après-midi et m'a dit que vous étiez partie pour la Cornouailles. Pas pour longtemps, j'espère?

– Oh, non! Nous serons de retour à Netherfield Green pour vous accueillir. Comment avez-vous eu mon numéro de téléphone?

– Par ma « maman ». J'ai pensé que vous le lui aviez laissé. Je voulais m'assurer que vous étiez bien arrivée... et que vous reveniez.

– Merci... dis-je un peu sottement, et j'entendis son rire.

– Pas besoin de me remercier. C'était vraiment pour me faire plaisir à moi-même. J'avais un désir fou d'entendre votre voix... ma chérie... afin de m'assurer que je n'ai pas rêvé, à nouveau.

– Oh! Avez-vous beaucoup rêvé? Vous avez eu des cauchemars? demandai-je en bredouillant.

– Je m'éveille, je m'endors. Bref, tout est terriblement confus. Je ne sais pas très bien où j'en suis, comme disait toujours la vieille Mrs Mussett. Vous vous souvenez d'elle?

– La vieille cuisinière du château? Si je me souviens d'elle! Elle était adorable. Je me rappelle qu'elle avait toujours un petit quelque chose à manger pour nous quand nous revenions affamés de nos expéditions. De même, elle avait toujours des pommes ou des carottes et quelques morceaux de sucre pour les poneys.

– Quelle mémoire vous avez, Conker!

– Trop... parfois...

– Des souvenirs bénis et d'autres cuisants? Ne gardez que les heureux et essayez d'oublier les autres.

– J'essaie, mais... les choses... et les gens changent. Les changements ont tendance à ternir les souvenirs.

– Vous n'avez pas changé, et moi non plus. Certaines choses sont aussi constantes que le soleil. Ce qui a été est et sera. Ceci n'est ni un rêve ni une illusion. Je veux dire, pour ce qui est de nous.

Sous le ton léger et l'accent languide, il y avait quelque chose de profondément troublant. C'était comme un S.O.S., un appel à l'aide, informulé.

– Avec vous, Aylward, je ne pourrai jamais changer, dis-je dans un élan. Aylward, dites-moi ce qui ne va pas. Je sens que vous êtes tourmenté, c'est vrai, n'est-ce pas?

– Qui ne le serait pas, dans ma position? On me demande d'avaler des faits, ou plutôt des fantaisies, qui me restent en travers de la gorge, répondit-il d'une voix lugubre. Je pense... Je cherche... Aurais-je pu faire quelque chose d'inconsidéré? Aurais-je pu être un peu cinglé sans même m'en douter?

– Non. Certainement non. Vous avez toujours été très équilibré.

– J'ai peut-être pu avoir un transport au cerveau soudain. Je ne sais pas... c'est ce que mon frère a l'air de penser. Mais alors... comment puis-je en être tenu pour responsable, maintenant? Suis-je lié par quelque chose que j'ai pu dire ou faire, alors que je n'avais pas tous mes esprits?

– Certainement pas, répétai-je d'un ton ferme. N'écoutez pas Cecil, ni personne d'autre. N'acceptez pas qu'on vous pousse à faire ce dont vous n'avez pas envie. Si vous êtes tenté par un poste dans une réserve naturelle, prenez-le. C'est votre vie.

— Soyez bénie, ma chérie, pour ces mots qui me font du bien!

Il y eut soudain sur la ligne comme un brouhaha confus... puis j'entendis de nouveau Aylward qui disait :

— On m'arrache du téléphone pour me faire regagner mon lit... Aussi je vous dis bonne nuit, chérie... La séparation est une tristesse tellement douce.

Puis plus rien sur la ligne. Je souriais en raccrochant le récepteur. Cher Aylward de mon cœur! Toujours prêt, dans le passé, à se faire mon défenseur, mon chevalier, et à se battre pour moi. Des soi-disant humoristes qui, dans la cour de récréation de l'école, m'avaient un jour appelée « Smithy » (1) et prétendaient se chauffer les mains au feu de mes cheveux roux n'avaient pas eu l'envie de recommencer. Je n'avais pas oublié et il semblait que, maintenant, c'était mon tour de prendre sa défense.

Pourquoi devrait-on le forcer à monnayer son physique et son charme? S'il préférait être un conservateur de réserve, plutôt qu'une célébrité, pourquoi pas? Pourquoi sa famille serait-elle obsédée par l'idée du château et de ses splendeurs passées, si lui ne l'était pas?

De nos jours, les demeures historiques étaient de véritables boulets à traîner et parfaitement incommodes à vivre, sauf peut-être pour de très grosses fortunes. Pourquoi attendrait-on d'Aylward qu'il se sacrifie en se livrant à une activité qui lui déplaisait, dans le seul but de récupérer et de garder cette vieille maison si peu pratique et si ruineuse à entretenir?

Oui... mais ce que les Decanter attendaient d'Aylward, ce n'était pas qu'il *travaille* pour le château, mais qu'il fasse un *mariage* qui les ramène au château. C'est soudain

(1) *Smithy* signifiant forge.

que l'idée m'en apparut, et, avec un remords soudain, je me rendis compte que ni Aylward ni moi n'avions même mentionné Katy... Du moins, pas directement. Aylward n'avait-il pas fait référence à son « obligation » quand il avait parlé d'être tenu pour responsable de quelque chose qui n'aurait pu se produire s'il avait été, à ce moment, en pleine possession de ses esprits? De quoi d'autre aurait-il bien pu s'agir?

Je me mordis les lèvres. Je n'avais pas pris le temps de penser. Je n'avais songé qu'à le réconforter, l'apaiser. J'aurais dû me souvenir que la pauvre Katy avait, tout autant que lui, besoin d'être réconfortée et rassurée, et que j'étais censée devoir prendre soin d'elle.

Avec quelque inquiétude, les avertissements de Cecil me revenaient à l'esprit. Il était convaincu que Katy avait des tendances au suicide... ou bien avait-il simplement cherché à m'en convaincre? Je me demandai s'il n'avait pas utilisé la même tactique avec Aylward, l'avertissant que s'il « laissait tomber » Katy, il pourrait avoir sa mort sur la conscience. Cecil était-il capable d'utiliser ce genre de pression sur son frère? Non, bien sûr, à moins qu'en tant que médecin il ait sincèrement cru Katy capable d'attenter à ses jours, sous le coup d'une terrible déception?

Même si telle était l'opinion de Cecil, l'imposer ainsi à Aylward ressemblait singulièrement à une manière de chantage sentimental. D'autant plus qu'il était conscient de ce qu'il y avait de chevaleresque dans le tempérament d'Aylward. Est-ce qu'il n'en jouait pas, sciemment? Ne se préoccupait-il pas du point de vue de son frère?

Berry me regardait. Je le pris dans mes bras, et son corps chaud et velouté blotti tout contre moi, je lui parlai et murmurai à son oreille toute tremblante, tandis que sa langue se projetait, avide de me lécher :

– Es-tu triste d'avoir perdu miss Henrietta? Je le suis,

moi. Elle avait tant de bon sens. C'est tellement mieux d'être honnête qu'essayer d'être noble, quand le cœur n'y est pas, avait-elle dit, un jour où ses personnages se débattaient dans une situation inextricable. Ce n'est pas elle qui aurait cherché à persuader Aylward qu'il était amoureux de Katy, s'il ne se souvenait même pas d'elle!

La porte de la cuisine s'ouvrit et Martha apparut avec un plateau.

– Je vous ai fait du thé et j'ai mis quelques biscuits. Vous feriez bien d'en prendre une tasse tout de suite et d'aller vous coucher. La jeune demoiselle a l'air d'avoir besoin de dormir. Un peu pâlotte et l'air tendue, à mon avis.

– Oui, dis-je, me sentant de nouveau un peu coupable. Elle n'est pas très robuste. Merci, Martha, pour le thé.

Les jolies couleurs de Katy n'avaient pas encore disparu et ses yeux bleus étaient toujours brillants, mais je remarquai les grands cernes inquiétants qui les entouraient. Alistair, lui aussi, les avait remarqués.

– Vous avez besoin de vous retaper, ma petite, avait-il dit à Katy en la forçant à manger un biscuit. Si j'étais votre médecin, je vous conseillerais de prendre de longues vacances ici, de vous détendre dans cet air marin, avec la bonne cuisine de Martha qui vous aiderait à remettre un peu de chair sur vos os.

Katy éclata de rire et lui demanda en faisant la grimace s'il aimerait la voir devenir une « solide campagnarde plantureuse »?

– Pourquoi pas? Quel est le gars qui aimerait serrer contre lui un paquet d'os? riposta Alistair crûment.

– Vous êtes effroyablement rude... dit Katy sur un ton de réprimande. (Mais à peine avait-il pris congé de nous qu'elle dit d'un air songeur :) J'aimerais qu'il soit mon médecin. Il a l'air tellement compréhensif.

– Vous trouvez? Je crois, en effet, qu'il l'est. Sous un extérieur plutôt brusque, se cache un homme très bon. Les gens du village l'estiment beaucoup et ont une haute idée de lui, et vous savez que les gens de la campagne sont en général d'excellents juges, en matière de caractères, dis-je, abondant dans son sens.

– Vous allez l'épouser? me demanda-t-elle de sa manière directe.

– Je ne sais pas, mais je ne le pense pas. De toute façon, il ne me l'a jamais proposé.

– Oh, mais les hommes, maintenant, ne font plus ce genre de demande en mariage officielle. C'est fini tout cela, dit Katy. Notre génération sait combien les mots peuvent être vides.

– Il y a cependant des choses qui ont besoin d'être formulées. Si un homme avait envie de m'épouser, j'attendrais tout de même de lui qu'il me le dise clairement.

– Un homme très jeune ne le ferait pas. Il se contenterait de vous empoigner très fort et de vous embrasser, et vous comprendriez, dit-elle d'un air buté.

Je faillis lâcher la question que j'avais sur le bout de la langue : « Mais Aylward, lui, a sûrement parlé de mariage? Vous n'avez pas simplement imaginé qu'il y pensait? Vous êtes bien sûre? » mais elle bâilla soudain en disant :

– Oh, Dieu! Ce que j'ai sommeil!

Avec le départ d'Alistair, ses couleurs et sa gaieté aussi avaient disparu. Elle avait un air étrangement perdu.

– Au lit, ma fille, dis-je d'un ton ferme et elle eut un petit sourire triste.

– C'est drôle... C'est ainsi que votre docteur m'a appelée. Ce doit être contagieux. (Elle me regarda d'un air réfléchi.) Il est très emballé sur vous. C'est visible... quand il vous parle. Mais il vous laisse froide, à ce que j'ai vu. Pourquoi?

– Pourquoi? Difficile de répondre à une telle question. Pourquoi certaines personnes éveillent-elles quelque chose en vous au premier coup d'œil, et d'autres pas? C'est la différence entre une boîte d'allumettes bien sèches, et une autre tout humide : ou bien l'étincelle et le feu potentiel sont là ou ils n'y sont pas, expliquai-je.

– Cela paraît assez convaincant, mais supposez que vous gardiez dans votre poche la boîte d'allumettes sèches sans les frotter, comment savoir si elles s'allumeront? protesta-t-elle. Je suis certaine que vous n'avez pas vraiment donné sa chance au Dr McCanning, et à vous-même, non plus. Pourquoi cela? Ne voulez-vous pas être à nouveau amoureuse?

– Encore une question bien épineuse, à laquelle il n'est pas possible de répondre par « oui » ou « non ». De toute façon, je suis trop fatiguée pour y penser maintenant. La journée a été longue...

12

– Katy! (Consciente soudain que c'était sérieux, je me penchai sur elle et la secouai par les épaules.) Katy, réveillez-vous. Katy

Elle marmonna quelque chose, mais ses yeux demeurèrent clos. Sa respiration était pesante... trop pesante. Sur sa table de chevet, j'aperçus un verre vide et une petite bouteille de capsules. Elle n'y était pas hier soir quand Katy s'était couchée. De cela j'étais certaine.

Je saisis la bouteille, mais l'étiquette en avait été arrachée et les capsules colorées à l'intérieur ne fournissaient aucune indication quant à la nature de la drogue. Où, quand et par qui Katy avait-elle bien pu se procurer ces capsules? Elle avait dû cacher la bouteille très soigneusement, car je ne l'avais jamais vue auparavant.

Elle ne donnait pas l'impression d'être affligée, ou dans le coma, mais au fond du plus profond sommeil; celui que procurent l'alcool ou les drogues. Elle pouvait très bien refaire surface, une fois le produit ayant cessé d'agir... mais le contraire aussi était possible. C'était un risque que je ne pouvais pas me permettre de courir.

Je dévalai l'escalier pour me précipiter sur le téléphone, essayant de fermer mes oreilles à l'écho de la voix de Cecil et à ses avertissements. Je tremblais en composant le numéro d'Alistair.

– Allô! Vous êtes debout de bon matin! Il n'est pas encore 8 heures, reçus-je en réponse à mon « Alistair. C'est Connie, ici... »

– Je sais, et je suppose que vous déjeunez en ce moment, mais pourriez-vous venir tout de suite, dis-je le souffle court.

– Non, je n'ai pas encore commencé à manger, répondit-il de sa façon positive. Mais qu'y a-t-il de si urgent?

– C'est Katy. Elle a absorbé des somnifères, ou je ne sais quoi. Impossible de la réveiller.

– Mais qu'a-t-elle pris, et combien?

– C'est justement ce que j'ignore, et c'est pourquoi je suis si inquiète. Peut-être est-ce quelque chose d'anodin, mais efficace sûrement, car elle est littéralement assommée, dis-je, faisant un effort pour parler calmement. Je crois que vous devriez la voir. Simplement pour plus de sûreté.

– D'accord. Je serai chez vous dans un instant. Mais pas de panique!

Je n'étais pas paniquée, mais seulement intriguée et soucieuse. Ce n'était que très naturel, pensai-je avec irritation, tout en raccrochant le récepteur. Je me demandais ce qui avait bien pu pousser Katy à sortir de son lit pour avaler ces capsules, après que je l'ai eue installée pour la nuit. Elle avait dû être particulièrement silencieuse, sinon je l'aurais entendue. Elle dormait dans la chambre qui avait été celle de miss Henrietta, et j'occupais celle d'à côté. Il n'y avait pas de porte de communication entre les deux, mais j'avais laissé entrebâillée ma porte donnant sur le palier. Si elle m'avait appelée, je l'aurais entendue. J'entendais toujours quand miss Henrietta appelait.

Je regardai Katy. Elle n'avait pas bougé. Regagnant ma

chambre, je m'habillai à la hâte et avalai une autre tasse de thé apportée par Martha. Berry, qui avait passé la nuit voluptueusement étendu à l'extrémité de mon lit, s'étira, bâilla longuement puis me regarda en clignant des yeux. Distraitement, je donnai une petite tape sur sa tête au poil soyeux.

– Ce n'est pas infirmière que j'aurais dû être, mais assistante en chirurgie vétérinaire, dis-je à voix haute. Les gens sont trop compliqués et trop imprévisibles pour moi. Katy, hier soir, m'avait paru pleine d'entrain...

Je me sentais vexée, et d'une façon imprécise, un peu coupable. Je m'étais flattée de comprendre Katy, et elle m'avait acceptée comme une amie. Je devais admettre que je m'étais trompée, ou elle ne m'aurait pas mis cette histoire sur le dos.

Quel avait bien pu être son motif? Ce n'était pas parce qu'elle craignait une nuit d'insomnie. Elle dormait déjà quand je l'avais aidée à se coucher. Ou... avait-elle voulu jouer la comédie?

Alistair arriva cinq minutes après mon appel et ce fut pour moi un soulagement que lui confier mes craintes et mes doutes.

– Je n'ai pas cru, et je ne crois toujours pas qu'elle ait cette tendance au suicide... mais quoi d'autre a bien pu l'inciter à prendre une telle dose de somnifères, la nuit dernière, quand, visiblement, elle n'en avait pas besoin? dis-je exaspérée.

Il me rassura en me tapotant gentiment l'épaule.

– Ne vous tourmentez pas, je le lui demanderai, dit-il du ton de quelqu'un qui est fermement décidé à obtenir une réponse. C'est dangereux de s'amuser à toucher à n'importe quelle drogue. On peut aller trop loin, et je doute que ceci ait été l'intention de la petite. Plus vraisemblablement, elle voulait attirer l'attention.

Après avoir examiné Katy, et les capsules restées dans

la bouteille, sa réaction fut identique à la mienne, à la différence près que la sienne n'était entachée d'aucun sentiment de culpabilité. Son idée était que Katy n'avait pas voulu prendre une dose dangereuse, mais simplement une double dose, de ce qu'il croyait être du nembutal. Un geste totalement dépourvu de sens, d'après lui, et qui pouvait être dangereux, dit-il en insistant et en roulant le « r » d'une façon gentiment écossaise. Il considérait qu'elle n'était nullement en danger dans l'immédiat, du point de vue physique, mais elle lui semblait d'une irresponsabilité dangereuse. Elle avait besoin qu'on lui parle avec sérieux et sévérité.

– Allez-y, lui dis-je avec l'impression que j'aurais pu l'embrasser.

Il était totalement et sincèrement honnête, sans la moindre arrière-pensée, et en même temps doué d'un tel sens pratique. Pas d'insinuations troubles, d'allusions indirectes avec Alistair. Il disait toujours ce qu'il pensait.

– Peut-être qu'elle vous écoutera, vous... un étranger. Elle a d'ailleurs dit, la nuit dernière, qu'elle aimerait que vous soyez son médecin.

– Vraiment? (Son visage trahit un air de contentement presque enfantin, qui, immédiatement réprimé, fit place à une expression sévère.) La pauvre petite fille! Une de ces jeunes un peu perdues, trop gâtées, indisciplinées. Souhaitant, au fond d'elle-même, qu'on s'occupe d'elle.

– Pas exactement. Négligée, j'imagine. Sur le plan affectif, en tout cas.

Je répétai ce que Katy m'avait dit sur son père et il hocha la tête d'un air absent.

– Ce jeune garçon qu'elle projette d'épouser? dit-il d'un ton interrogateur. Trop faible avec elle, n'est-ce pas?

– Ce n'est pas un jeune garçon. Probablement beaucoup plus pour elle l'image d'un père... je veux dire de son père. Plaisant et charmant. N'avez-vous rien à lui donner pour l'arracher à ce sommeil? Ou bien faut-il attendre que les effets du somnifère se dissipent?

— On pourrait, mais je suppose qu'il faudrait jouer le jeu, pour trouver ce qu'elle a en tête, dit Alistair d'un ton sévère. La petite espère que son geste aura provoqué consternation et inquiétude. Il est clair qu'elle voulait vous effrayer. Elle sera satisfaite et comme payée de ce qu'elle a fait en trouvant à son chevet un médecin qu'on a alerté pour s'occuper d'elle; elle sera alors prête à s'expliquer, ou je connaîtrai la raison pour laquelle elle ne le fait pas...

Il me parut tout simplement formidable, et tellement plus vieux que son âge. Je comprenais pourquoi les gens de la campagne avaient pour lui tant de respect et d'affection. Il pouvait être franchement désagréable et manquer de patience avec un simulateur, ou un tire-au-flanc et la façon dont il leur parlait n'était pas toujours de leur goût, mais, quand la situation était sérieuse, on pouvait se fier à lui. Il n'aurait jamais les manières professionnelles ou l'apparence reluisante de prospérité de Cecil, mais il ne partageait certainement pas ses ambitions. Alistair, très probablement, resterait ici avec une clientèle qui ne cesserait d'augmenter, jusqu'au moment où il deviendrait légendaire dans le pays.

— Allez faire du café très fort. J'ai ma consultation à 9 heures et demie, aussi il vaut mieux que je m'occupe tout de suite de la petite, dit-il en regardant Katy d'un air à la fois fâché et compatissant. Je lui parlerai comme un père.

— Comme son propre père ne l'a jamais fait, murmurai-je en quittant la chambre.

Comme j'en avais averti Katy, je n'avais pas eu une formation d'infirmière tout à fait orthodoxe, et mes réactions s'en ressentaient. Au lieu de me hâter de

170

remonter à l'étage, je m'attardai dans la cuisine, essayant d'expliquer la situation à Martha que la visite si matinale d'Alistair avait inquiétée.

A ma version, selon laquelle Katy avait par erreur pris deux tablettes au lieu d'une, la vieille Martha secoua sa tête grisonnante et dit d'un air compréhensif :

– Une histoire d'homme, sans aucun doute. A son âge, c'est toujours à cause d'un homme. Croyez-moi, miss, il y a des avantages à se faire vieille! Plus de peines de cœur...

Ce qu'elle disait semblait marqué par une telle émotion, qu'un léger remords la concernant s'éveilla soudain en moi. La chère Martha était un de ces êtres de second plan qui vous apportent paix et sécurité, et qu'on a tendance à considérer comme n'ayant pas d'existence propre. C'était vrai que je n'avais jamais songé à elle comme à la jeune fille qu'elle avait été, avant de venir vivre avec miss Henrietta. Avait-elle souffert de quelque malheureuse histoire d'amour, et avait-elle tâché de continuer à vivre?

– Pauvre jeune petite chose! dit-elle après un silence. Elle apprendra, mais c'est parfois douloureux d'apprendre qu'on peut aimer sans être aimée.

– C'est vrai, dis-je.

Le percolateur déborda en bouillonnant, remplissant la cuisine de son grésillement. Je le mis sur un plateau en y joignant trois tasses, de la crème et du sucre et, sans enthousiasme, le portai à l'étage.

Katy était assise dans son lit, sa robe de chambre jetée sur ses épaules. Ses cheveux blonds étaient complètement en désordre, elle avait le visage rouge et ses yeux étaient encore brillants de larmes. C'était vraiment la petite fille qu'on a fouettée pour un écart de conduite, et envoyée au lit.

– Angela? Et qui est donc cette Angela, pour que vous preniez ce qu'elle vous dit comme parole d'évangile? lui demanda Alistair d'une voix qui grondait, ses « r » plus que jamais roulés. N'êtes-vous pas une grande fille, capable de penser par vous-même?

– Elle est sa sœur jumelle. Elle le connaît mieux que moi. Elle était certaine que cela marcherait, dit Katy, se tenant sur la défensive. Elle m'avait promis que ce n'était pas dangereux. Deux ou trois, m'avait-elle dit, mais si je n'en prenais que deux...

– Angela? répétai-je tout en posant le plateau bruyamment. Voulez-vous dire que c'est d'Angela que vous teniez ces capsules?

Elle fit signe que oui et prit un air maussade en rencontrant mon regard interrogateur.

– Angela m'avait dit de les prendre au cas où Aylward ferait des difficultés... pour lui faire peur.

– Mais... pourquoi les avoir pris la nuit dernière, alors qu'Aylward est à des lieues d'ici? demandai-je.

Son visage s'empourpra. Renfrognée et silencieuse, elle baissa les yeux sur ses mains qu'elle tenait serrées l'une contre l'autre.

– Pour m'effrayer? dis-je d'un air incrédule. Pourquoi? Que vous ai-je fait?

Elle ne répondit pas. D'un geste impatient, Alistair me fit signe de verser le café. Il prit la première tasse à laquelle il ajouta un peu de crème et une bonne dose de sucre, et se pencha sur le lit.

– Buvez, fillette. Voilà qui va vous remettre, dit-il avec douceur. (Puis, par-dessus son épaule il répondit à ma question avec un bref :) Apparemment, pour quelque chose que vous n'avez pas fait, nurse(1).

– Oh? dis-je sans comprendre et en même temps un peu refroidie par ce « nurse » bref et cassant. Et qu'ai-je omis de faire?

_____

(1) Manière du médecin anglais de s'adresser à l'infirmière ou à la garde.

– Quelque chose qui a trait à un appel téléphonique, à ce que j'ai cru comprendre, répondit-il à la place de Katy. « Le téléphone a sonné hier soir. Croyant que l'appel était pour moi, j'ai ouvert la porte... mais vous répondiez déjà... alors j'ai refermé la porte. »

– Vous ne m'avez pas vue ni entendue. Vous étiez trop absorbée. (Katy dressa la tête en braquant ses yeux sur moi.) Vous ne m'avez pas appelée. Vous ne m'en avez même pas parlé après coup... mais je savais. Je savais que vous parliez avec Aylward.

J'étais vexée de me sentir rougir. Son ton était franchement accusateur et à un moindre degré, celui d'Alistair également. Voilà donc la déduction que Katy avait tirée de ma réticence. Je me mordis les lèvres; que pouvais-je répliquer qui soit convaincant?

– Alors? dit-elle triomphante. Vous ne pouvez pas nier?

Je hochai la tête. D'un geste mécanique, je me tournai vers le plateau et versai deux tasses de café, pour Alistair et pour moi.

– Il n'y avait aucune raison que je vous en parle, dis-je après un autre silence.

– Pas de raison? Quand mon fiancé téléphone pour me parler, vous ne trouvez pas utile de m'appeler, cria-t-elle d'une voix indignée.

– Il ne vous appelait pas, dis-je carrément. Il n'a même pas fait mention de vous. Je suis navrée si ceci vous fait mal. C'est la raison pour laquelle je ne vous ai pas parlé de son appel.

– Est-ce vrai? (La pâleur envahit ses joues et les larmes jaillirent de ses yeux :) Il ne se souvient pas encore de moi? Et pourtant il se souvient de vous? Oh, c'est intolérable!

– Je suis navrée, répétai-je, mal à l'aise. Croyez-moi, Katy, je suis sincèrement peinée pour vous. Peut-être, comme Cecil l'a suggéré, Aylward cherche-t-il inconsciemment à se réfugier dans le passé, parce qu'il répugne à affronter l'avenir.

– L'avenir? Notre avenir? Oh, comment pouvez-vous être aussi cruelle? Cecil n'a jamais dit une chose pareille. Je suis sûre qu'il n'a pas dit cela, cria-t-elle en larmes.

– Non pas en ce qui vous concerne, bien sûr, me hâtai-je d'expliquer. Cecil pense qu'Aylward rechigne à assumer les responsabilités de sa famille, ou peut-être celles de son travail à la télévision. Apparaître devant toutes ces caméras et une immense audience invisible doit représenter un effort épuisant pour celui qui n'a pas le tempérament à faire ce genre de choses. Je sais, quant à moi, que je détesterais ça.

– Vous détesteriez? Vraiment? Pas moi... J'avais trouvé amusant... le petit bout de tournage que nous avions fait avant mon accident, dit-elle avec une franche candeur. Angela me disait que j'étais merveilleusement photogénique. Je ne pense pas que vous le soyez.

– Qu'est-ce que ça fait? répliquai-je avec mauvaise humeur. Vous rendez-vous compte des bêtises que vous faites, en prenant des stupéfiants qui ne vous ont pas été prescrits? C'est de la folie. Vous auriez fort bien pu ne jamais vous réveiller.

– C'est ce qu'il me disait... (Elle jeta un regard pensif à Alistair.) Pourquoi aurait-ce été important? Pas pour Aylward, s'il m'a oubliée, et qui d'autre pourrait bien se préoccuper de ce qui m'arrive?

– Ce n'est pas une façon de parler... pour une fille de votre âge, dit Alistair d'un ton sévère que démentait la bonté qu'exprimaient ses yeux.

– Vous ne comprenez pas combien je suis seule, dit Katy de la voix d'une « petite fille » perdue. Je croyais qu'Angela et Mrs Decointre m'aimaient un peu... mais j'ai peur que ce ne soit que l'argent de père...

Alistair eut une espèce de grognement, puis demanda

pour elle une autre tasse de café. Ayant avalé à la hâte et distraitement celui que je lui avais servi, il annonça qu'il devait partir pour sa consultation.

– Vous allez revenir?

Les yeux humides et suppliants de Katy ressemblaient étonnamment à des myosotis d'eau. Tout en elle exprimait le désespoir et la dépression. Je me demandai si elle jouait la comédie à l'intention d'Alistair, ou si elle avait vraiment très peur.

Alistair fut nettement sec et cassant avec moi quand je l'accompagnai jusqu'à la porte.

– Je passerai ce soir après mes consultations, dit-il sèchement. Veillez à ce qu'elle n'ait pas de secousses pendant un jour ou deux.

– Mais, en principe, nous devons partir demain pour Netherfield Green.

– C'est hors de question! Elle a besoin de repos, de détente. Elle a eu un choc très grave, déclara-t-il.

– Oui, mais il y a déjà un certain temps de cela. A son âge...

– A son âge, on peut être terriblement vulnérable. (Il me jeta un regard sévère, presque malveillant.) Ne pouviez-vous pas lui laisser son « fiancé »? Vous lui avez donné un sérieux coup hier soir.

Il ne dit pas « Vous devriez avoir honte de vous-même », mais son expression était suffisamment éloquente, et je me sentis rougir, plus par indignation que par sentiment de culpabilité.

– Aylward et moi sommes de très vieux amis. Rien de plus. Quand je suis allée le voir à l'hôpital avec Katy, il y avait cinq ans que je ne l'avais vu. Est-ce ma faute s'il s'est souvenu de moi?

Mon intention n'était pas de m'emporter, au contraire, j'aurais voulu parler froidement et raisonnablement, mais ma voix me trahissait. Pourquoi fallait-il que Katy et moi en venions à une conclusion aussi injuste et fausse?

Alistair secoua la tête d'un air sinistre.

– Ce cheval est un non-partant. Nous avons entendu de quelle voix vous lui parliez. Je ne savais pas alors qui était sur la ligne, mais j'ai compris immédiatement qu'il était l'homme de votre vie.

– C'est une sottise! Je n'ai jamais pensé à Aylward de cette manière...

– Ce n'est pas mon affaire, coupa-t-il sèchement avec un geste impatient. Sauf que ça affecte la petite, là-bas. Vous feriez mieux de vous réconcilier avec elle avant qu'elle ne commette quelque chose de plus grave, que vous regretteriez toutes les deux.

– Vous ne voyez pas que c'est de la comédie? Qu'elle n'a aucun désir de se tuer?

– J'admets. Mais elle peut aller trop loin sans en avoir l'intention, comme c'eût pu être le cas la nuit dernière. Ces manifestations irréfléchies peuvent très mal finir, vous savez.

– Je sais que la plupart des hommes réagissent comme des sots quand ils se trouvent devant une petite bonne femme blonde, frêle et féminine, aux grands yeux bleus suppliants, lançai-je violemment. Je suis certaine que c'est ainsi qu'Aylward s'est fait prendre au piège. Lui aussi est du type chevaleresque.

Il me jeta un regard sans cordialité, puis, à grandes enjambées, descendit le sentier dallé pour aller rejoindre sa vieille voiture fatiguée.

– Oh, pensez ce que vous voulez! Quelle importance? dis-je dans son dos, mais l'exaspération était impuissante à effacer la sensation aiguë de blessure.

Pendant trois années, nous avions, Alistair et moi, partagé une amitié plaisante, de celles qui mettent du baume au cœur et qui, avec le temps, aurait pu se transformer en un attachement durable. Maintenant,

176

c'était fini. Plus jamais il ne me verrait avec les mêmes yeux, avec cette admiration et cette approbation d'avant qui m'étaient toujours acquises.

Entre nous, venait de se creuser un abîme aussi formidable que celui qui nous séparait, Cecil et moi.

Furieuse, je me dis que tout ceci était injuste. Pourquoi devrais-je être choisie pour jouer le rôle ingrat de « l'autre femme »? Pour la simple raison que je me refusais à être déloyale à un passé qui m'était cher et au souvenir de ces jours heureux où Aylward était mon héros?

« La vie, le monde et moi-même avons changé. A cause d'un rêve... » Cette citation jaillit à mon esprit. Miss Henrietta l'avait placée dans un de ses romans, que j'avais tapé à la machine. « A cause d'un rêve. » Elle avait décidé d'en faire le titre du roman.

Oui, mais pourquoi mon monde à moi, celui qui m'entoure devrait-il être changé « à cause d'un rêve. »? Aylward ne serait jamais pour moi qu'un rêve... un rêve d'enfance. Il n'était pas juste de devoir expier pour un rêve.

13

Ce ne fut que plus tard dans la matinée, vers 11 heures, portant à Katy un peu de thé avec quelques biscuits, que je compris la raison indirecte, ou peut-être primordiale, de son air « d'épave ».

– Croyez-vous, me demanda-t-elle avec sa franchise enfantine, qu'elle avait l'intention de me tuer?

– Quoi? Qui? (Le fil de sa pensée m'échappa pendant quelques instants, puis je répétai :) Vous tuer?

– Oui, Angela. C'est elle qui m'a donné ces tablettes.

– Ce qui était mal de sa part ou, en tout cas, très stupide, me risquai-je à dire.

– Elle aurait pu espérer me « faire dormir pour de bon », comme dit notre gentil docteur. (La voix de Katy chevrota :) Avec mon argent, et ce qu'Aylward pouvait gagner, la famille était en mesure de réintégrer le château.

– Oh, mais non! Angela a son studio et son appartement à Londres. Elle ne reviendrait jamais vivre à Netherfield Green.

– Non. Mais elle serait ravie que sa mère et son frère y retournent. (Elle me regarda avec un air de défi :) Je serais prête à parier que c'est Angela qui m'a poussée sur ce sentier de montagne. Aylward l'a probablement vue, et

178

il en a sans doute été si choqué qu'il a délibérément choisi de tout oublier.

– Ne vous laissez pas emporter par votre imagination!

Que pouvais-je dire d'autre! Quoi que je puisse ajouter, je ne parviendrais pas à convaincre Katy que ses soupçons étaient monstrueux.

– Je vais l'appeler et lui parler de ces capsules, annonça Katy d'un air résolu. Vous ne pourrez pas m'en empêcher.

– Je n'essayerai pas. Mais s'il y a un quelconque complot contre vous, comme vous semblez l'imaginer, je n'en fais pas partie.

– Vraiment? mais... ne serait-ce pas pourtant la raison pour laquelle Mrs Decointre s'est jetée sur vous? Parce que vous n'êtes pas diplômée... et parce qu'elle savait que vous ne trahiriez jamais un des siens? C'est vrai, n'est-ce pas? Vous les auriez couverts, quoi qu'il arrive?

– Non. (Je secouai la tête.) Je ne le pense pas. Après tout ce temps, ils ne comptent plus sur moi. Même Angela ne pourrait plus maintenant espérer me dominer, comme lorsque j'étais enfant. Même pour une infirmière non diplômée, ce qui est mon cas, sa patiente passe en premier.

J'aurais pu, si je l'avais voulu, écouter la conversation téléphonique de Katy. Elle en revint l'air contrariée et un peu abasourdie, avec en même temps, dans le regard, une lueur d'excitation.

– Ils viennent ici. Angela accompagne Aylward demain, annonça-t-elle. Elle a dit de ne pas s'inquiéter si on ne pouvait pas les loger, qu'ils trouveraient bien un endroit où passer la nuit.

– Aylward? Mais il ne sort pas de l'hôpital avant mercredi. Il n'est certainement pas en état de supporter un aussi long voyage, protestai-je.

– Angela dit qu'elle y a pensé. Mais elle croit qu'un changement complet de décor lui fera du bien et, en le secouant, l'aidera peut-être à retrouver la mémoire.

– Cela m'étonnerait. Il sera plus perdu que jamais en se trouvant dans un décor complètement étranger, dis-je d'une voix irritée. Ils ne peuvent pas coucher ici. Il ne reste plus qu'une chambre, une petite mansarde, et en outre, je ne suis pas chez moi. Je sais que *le Repos des Pêcheurs*, au village, loue des chambres, mais ils n'y auront pas beaucoup de confort.

– J'ai dit à Angela qu'il n'y avait plus de chambre vacante dans la maison, mais vous savez comment elle est. Quand elle a décidé quelque chose, il n'y a rien à faire.

– Dieu seul sait pourquoi elle a bien pu décider de se précipiter ici! dis-je mal à l'aise. Je n'arrive pas à comprendre.

– Elle a parlé d'un changement d'atmosphère et de décor romantique, dit Katy, consciente de la rougeur qui envahissait ses joues. Peut-être veut-elle dire qu'Aylward va de nouveau tomber amoureux de moi?

– Et au sujet des capsules, qu'a-t-elle dit?

– Pas grand-chose... excepté qu'elle m'a assuré, avec beaucoup d'insistance, que ces capsules étaient absolument inoffensives... même si j'en avais pris une douzaine. Elle ne comprenait pas que vous en ayez fait une telle histoire... (Elle marqua une pause comme si elle décidait de se contrôler.)

– Oui? dis-je. Continuez! Quoi d'autre?

Katy se tortilla comme un enfant nerveux en présence d'un adulte courroucé.

– Oh, ceci et cela! Elle ne vous aime pas, n'est-ce pas?

– Elle ne m'aime pas? (Je me demandais ce qu'Angela avait bien pu lui dire pour lui donner cette impression.)

Je ne le savais pas. Il y a si longtemps que nous ne sommes plus en contact.

— Enfin (elle parut s'armer de courage) Angela a insinué que vous auriez pu me droguer... en espérant qu'on rendrait ces capsules responsables...

— De quoi? De votre mort prématurée? C'est complètement ridicule! Vous n'avez pas dû très bien comprendre ce qu'elle vous disait. Je suis censée m'occuper de vous. Je ne vois pas pourquoi diable je pourrais bien souhaiter qu'il vous arrive un malheur quelconque!

— C'était l'idée d'Angela. Pas la mienne. (Sa lèvre inférieure fit une moue comme celle d'un enfant chagrin :) Vous m'avez plu dès la première minute. Je croyais que nous étions amies. Mais Angela m'a dit que j'étais folle d'avoir confiance en vous... Mais je ne la crois pas non plus. C'est assez lamentable...

— Ce doit l'être, en effet, de devoir soupçonner tous ceux qui vous entourent, d'avoir des motifs inavouables. Pauvre enfant, dis-je, mon exaspération disparaissant devant la pitié qu'elle m'inspirait. Pourquoi n'essayez-vous pas de vous servir de votre propre jugement? Vous n'êtes pas idiote, que diable!

Son petit visage s'éclaira d'une satisfaction réelle et elle m'adressa un petit sourire.

— Je pense que j'ai confiance en vous... vraiment. Vous avez des yeux si honnêtes. Ils trahissent toujours ce que vous pensez. Ils sont capables de lancer des éclairs verts, mais, la plupart du temps, ils sont pleins de bonté... et vous me regardez comme vous regardez ce dachshund, dit-elle d'un air candide. C'était vraiment horrible, vous ne pensez pas, de la part d'Angela, que d'essayer de me monter contre vous?

— Et surtout étrange. Impossible de comprendre ce qu'elle a dans l'esprit.

Un sentiment de malaise, vague mais inquiétant, me

gagna. L'attitude de Belle envers Angela me revenait en mémoire. Peut-être Belle avait-elle été beaucoup plus clairvoyante que moi. Elle avait vu en Angela, farouchement jalouse et possessive, une menace pour tout autre fille. Et surtout pour celle à qui ses frères pouvaient témoigner quelque affection.

Et, pourtant, n'était-ce pas elle qui avait rapproché Katy et Aylward? L'attitude d'Angela envers Katy était curieusement ambiguë. Il semblait impossible qu'elle ait espéré, ou projeté, qu'une quelconque catastrophe atteigne Katy et en débarrasse ainsi Aylward. Le laissant héritier de Katy? Oh, non! ces pensées sont trop sinistres, me dis-je, pour les poursuivre plus longtemps...

– Oublions Angela, voulez-vous, jusqu'à ce qu'elle soit ici. Si vous êtes d'accord, nous pourrions emmener Berry galoper un peu sur la plage.

L'air était grisant, le soleil scintillait sur l'eau, et le sable, sous nos pieds, étincelait. Berry courait autour de nous, s'arrêtant de temps à autre pour se rouler avec extase sur des varechs à forte odeur iodée. Il m'avait retrouvée et tout dans son monde était redevenu parfait. Comme j'aurais aimé que mes émotions fussent aussi peu compliquées!

Etais-je née pour être « celle qui se souvient »? Ne pouvais-je prendre les choses comme elles venaient, en cessant de regarder en arrière? Pour aujourd'hui, du moins, il faisait bon vivre; bon de sentir monter en moi toute une réserve d'énergie tandis que je courais sur la plage avec Berry.

Katy, qui paraissait et se sentait toujours déprimée, préféra s'installer au soleil sur un rocher. Elle s'étendit, le menton dans ses mains, regardant la mer au loin pendant que je gambadais avec le chien. Elle avait reçu un coup, et s'attendait à en recevoir un nouveau, le cœur serré. Elle oublierait ce chagrin. A son âge on oublie presque toujours. N'avais-je pas continué à soigner ma mère avec sollicitude, et durant des mois, alors que j'avais le cœur brisé, sachant que Cecil était perdu pour moi? Et mère n'avait probablement même pas soupçonné l'étendue de la peine que j'avais essayé de lui cacher.

J'avais connu et aimé Cecil pendant des années. Katy n'avait connu Aylward que l'espace de quelques mois, et ses sentiments n'avaient pas eu le temps de développer des racines très profondes. Pour moi c'était un peu comme un rêve de jeune fille, une douce illusion, plutôt qu'une véritable passion dévorante. Si ce qu'elle éprouvait était réellement profond, serait-elle aussi avide d'en parler? Je savais, par expérience, qu'il est tout à fait normal de montrer à ses amis de petites égratignures superficielles, mais la fierté exige qu'on taise une blessure mortelle; la fierté et l'instinct de conservation.

Lécher ses blessures en secret est un instinct qui n'est pas seulement le privilège des animaux blessés. Tout comme l'animal sauvage cherche le taillis où se cacher, la réaction d'une fille sensible consiste à se retirer de son cercle habituel. Je ne devais pas me tourmenter exagérément au sujet de Katy et de son possible déchirement. Son cœur n'était pas concerné. Elle s'imaginait seulement qu'il l'était...

Etais-je juste et impartiale dans mon appréciation de la situation? Ou n'avais-je d'autre désir que chercher à apaiser ma propre conscience? Avais-je eu la moindre pensée pour Katy quand Aylward m'avait appelée la nuit dernière? Et, tout au long de ces années de mon association avec Cecil, n'avais-je pas délibérément cherché à me tromper moi-même? Avais-je trouvé naturel qu'il me soit destiné, en me refusant d'admettre qu'il n'était qu'un pis-aller? Avais-je imaginé que le fait d'être une Decanter équivalait à n'importe quelle récompense? Et si Aylward, mon premier héros, m'était aussi inaccessible qu'une étoile, avais-je fait le raisonnement que je pouvais être heureuse en étant sa meilleure amie et sa belle-sœur?

Probablement, j'aurais pu l'être... et l'aurais été. C'était là le côté ironique de la chose. Si Cecil m'avait épousée avant son départ pour le Canada, je lui serais demeurée totalement loyale et attachée. Je me serais refusée à voir ses imperfections. C'était miss Henrietta qui m'avait enseigné à aller au fond des êtres; à acquérir perspicacité et discernement.

– On penserait que vous avez dix ans, dit Katy avec une nuance d'envie, quand essoufflée, je me laissai tomber auprès d'elle.

– Pourquoi toutes ces galopades?

– Joie de vivre, ou impression d'évasion, je suppose, dis-je. C'est bon, soudain, d'être en vie, et libre et indépendante.

– L'êtes-vous? Peut-on être vraiment libre et indépendante sans argent? rétorqua Katy.

– Une illusion, peut-être, mais agréable, murmurai-je en m'étendant, les yeux mi-clos, et en me laissant caresser par le soleil.

Une illusion de vérité; j'en pris conscience quand, une demi-heure plus tard, Katy, d'un ton plaintif, exprima le besoin d'une tasse de thé. A regret, je me levai en sifflant Berry. Aucune galopade allègre, ni battement de queue, ni de nez humide ne répondirent à mon appel. D'un air vide, je promenai mon regard autour de la petite anse. Berry avait disparu.

Gagnée par la panique, j'appelai, je sifflai. Katy me regarda d'un air embarrassé.

– Pourquoi vous tourmenter? Il connaît le chemin de la maison; il y est peut-être déjà.

– Il ne serait pas rentré sans moi. Il ne m'aurait pas laissée...

– Quand je l'avais vu pour la dernière fois, il se dirigeait vers la falaise.

– Oh, Ciel! Il poursuivait sûrement un lapin. Je sais qu'il y a une garenne tout en haut, là où il y a un peu de sable et de gazon. C'est pourquoi miss Henrietta ne le laissait jamais s'éloigner vers la falaise...

L'euphorie, si forte quelques instants plus tôt, s'évanouit pour faire place à un sentiment de peur et de culpabilité. Il m'avait toujours semblé que miss Henrietta se tracassait exagérément au sujet de Berry. Quand je le sortais, je ne le tenais jamais en laisse et le laissais toujours libre de folâtrer – excepté sur la route. J'aurais dû penser qu'aussitôt nos jeux terminés, et se retrouvant seul, son flair l'entraînerait vers les lapins, car les dachshunds sont des chasseurs.

– Pourquoi vous mettre dans un tel état? Il va revenir, vous le savez bien, dit Katy d'un air impatient.

– S'il peut revenir. Les chiens arrivent parfois à se faufiler dans un terrier, mais sont incapables d'en sortir.

J'étais furieuse contre moi-même. Ne savais-je pas qu'il suffit d'une seconde d'inattention, avec les enfants ou les animaux, pour qu'ait lieu l'irréparable? Combien de jeunes enfants disparaissent, presque journellement, laissant leur pauvre mère à une existence de remords?

La disparition d'un jeune animal ne faisait pas, bien sûr, la « une » des journaux, mais cependant il y était parfois fait état de chiens tombés dans un puits de mine ou d'une falaise ou de chats qu'on avait, par inadvertance, enfermés dans des immeubles inoccupés, ou qui se trouvaient coincés au sommet d'un arbre où ils étaient grimpés, et, paralysés par la peur, n'osaient plus en descendre. Les chats pouvaient vivre neuf vies, mais je n'avais jamais entendu dire qu'il en fût de même pour les chiens et Berry, bien qu'ayant presque deux ans, n'avait

185

guère plus d'expérience qu'un chiot. Il avait très bien pu réussir à se glisser dans un terrier, y être coincé et avoir étouffé sous une pluie soudaine de sable.

Je m'efforçais de rester calme, mais à mesure que la soirée s'avançait, ressemblant de plus en plus à un cauchemar, mes nerfs me lâchaient. Ce fut Alistair, une fois la nuit tombée, qui parvint à me raisonner.

– Ecoutez-moi, ma fille, ce n'est pas parce que vous vous rendrez malade que vous aiderez votre petite bête, dit-il avec fermeté. Vous ne pouvez plus rien faire avant qu'il fasse jour. Couchez-vous, afin d'être fraîche pour demain matin.

– Miss Henrietta me l'avait laissé, et c'est comme si j'avais manqué à une promesse tacite. Comment pourrais-je dormir en pensant qu'il est peut-être à l'agonie? S'il est encore en vie, il doit avoir si peur. Il n'a jamais été dehors seul, la nuit.

Posant un doigt sur mes lèvres, Alistair mit fin à toutes ces protestations émises d'une voix inintelligible et presque sanglotante.

– Il ne mourra pas de frayeur. Il est fort possible qu'il soit effrayé et épuisé, mais la faim, petit à petit, lui rendra l'énergie. On a vu beaucoup de terriers revenir après une disparition de plusieurs jours.

– Oui, je le sais. Mais ces terriers sont plus rudes que les dachshunds de pure race.

– C'est possible, mais pas certain. Allez, reprenez courage, ma fille. Vous angoissez votre patiente.

Il fit un signe de la main pour désigner Katy qui, pelotonnée dans un fauteuil, m'observait avec une réelle appréhension.

– Navrée, dis-je, pour la forme.

Le miroir posé sur la cheminée me renvoya une image échevelée et hagarde. J'avais véritablement l'air d'une démente. Mon visage était presque aussi malpropre et couvert d'égratignures que mes mains. Je m'étais traînée le long des sentiers et des corniches, parmi les ajoncs et les bruyères, cherchant à explorer la face de la falaise que je savais être criblée de trous de lapins. Pour Katy, qui n'avait jamais eu ni chat, ni chien, ni su ce que c'était que de pouvoir éprouver intérêt ou attachement pour une quelconque créature vivante plus petite et plus faible qu'elle-même, je devais sembler un peu cinglée.

– Allez vous débarbouiller et nettoyer sérieusement ces égratignures, ordonna Alistair. Et, ensuite, essayez d'avaler au moins un bol de soupe et quelques biscuits.

J'acquiesçai d'un signe de tête. Son ton et son regard exprimaient nettement qu'il était inquiet, mais j'avais l'impression qu'il l'était beaucoup plus pour Katy que pour moi.

D'après la conception qu'il se faisait du métier d'infirmière, il venait, pour la seconde fois en vingt-quatre heures, de me prendre en défaut.

Il avait raison, pensai-je, l'esprit extrêmement las. La peur et le remords étaient des émotions égoïstes. Permettre qu'elles vous dominent c'est être complaisant envers soi-même. J'aurais dû faire preuve de davantage de maîtrise. Oui, mais ce n'était que ce soir que je comprenais soudain combien j'étais attachée à cette petite bête. Je ne devais pas être très subtile quand il s'agissait d'analyser mes propres émotions ou de prévoir mes propres réactions. J'avais l'impression d'avoir été prise, sans la moindre protection possible, au milieu d'une effroyable tempête de sable.

Il était clair, que la nuit tombée maintenant, je ne pouvais plus rien faire pour Berry, si ce n'est lui laisser la porte ouverte. Le chercher le long des falaises dans l'obscurité serait aussi stérile que dangereux. Je me traînai jusqu'à la salle de bains, ahurie de découvrir que je m'étais écorchée partout. Je devais vraiment ressembler à « la fille du maréchal-ferrant du village ». Je n'avais certainement ni l'air ni le comportement de l'infirmière professionnelle comme Katy, à cet instant, devait probablement en faire la réflexion à Alistair.

J'étais brisée de fatigue et triste à pleurer. J'éprouvais le désir fou d'une épaule contre laquelle reposer ma tête douloureuse, et de bras puissants qui m'auraient réconfortée. Sans doute, était-ce à mon père que je pensais avec nostalgie. En y réfléchissant, je ne me souvenais pas que Cecil m'ait jamais été d'un grand secours ni physiquement ni moralement.

Peut-être Alistair n'approuvait-il pas mes manifestations au sujet de Berry, mais, quand je les rejoignis, il se montra très gentil. Katy aussi, d'ailleurs, d'une façon gauche et un peu embarrassée. Ils insistèrent pour que je m'assoie près du feu et boive un bol du bon bouillon chaud apporté par Martha. Je l'avais à peine achevé qu'elle apparaissait avec des tasses de chocolat fumant et des biscuits au gingembre qu'elle venait juste de retirer du four.

– Faut pas encore perdre espoir, ma petite amie, dit-elle en me grondant. Notre Abraham est bien resté loin pendant des jours et il est revenu sain et sauf, comme vous le savez.

– Oui, mais les chats ont l'habitude d'errer... je veux dire les gros matous. Les chiens... c'est différent, dis-je tristement.

– D'accord, mais c'est un jeune chien et il est agile. Et s'il est logé dans un trou de lapin, dès qu'il aura retrouvé ses esprits, il se tortillera comme un ver pour en sortir, dit Martha, d'un ton apaisant. Vous êtes sûre qu'il n'est pas allé jusqu'au village?

Je hochai la tête d'un air las.

– Katy et moi l'avons déjà cherché dans le village, allant pratiquement de maison en maison. Tous les gens le connaissaient, mais personne ne l'avait vu, aujourd'hui. D'ailleurs, je ne crois pas qu'il y serait allé seul. Il a tendance à avoir peur des étrangers; de tout le monde, en fait, excepté de ses familiers. Tout bébé même, il était plutôt sauvage.

– Enfin... il ne s'agit tout de même pas de retrouver une aiguille! Remettez-vous en au bon Dieu, et essayez de dormir, me dit Martha sur un ton de réprimande. Et vous aussi, jeune demoiselle. Vous n'avez pas tellement bonne mine, ce soir.

– Oui, vous devriez être couchée, Katy, commençai-je.

Soudain, je me sentis gagnée par une somnolence insurmontable. Si Alistair ne s'était pas précipité, j'aurais très certainement lâché ma tasse de chocolat.

– Vous... dis-je en clignant les yeux d'un air accusateur. Vous m'avez donné quelque chose... dans la soupe, je suppose...

– Une dose très légère...

– Légère? De quoi assommer quelqu'un. Vous n'auriez pas dû...

Je voulus réagir, lui dire que ne prenant jamais rien, même pas de l'aspirine, tout somnifère ne serait que trop efficace dans mon cas, et qu'il n'aurait jamais dû me donner quoi que ce soit, sans mon consentement. Mais... ma langue se refusa à fonctionner en même temps que mes paupières se fermaient.

– Allons, venez, maintenant! Nous allons vous mettre au lit.

J'eus vaguement conscience d'être debout, puis de trébucher à la porte. J'avais dû arriver à l'étage, presque portée par Alistair, mes jambes étaient de plomb. Etrange, pensai-je dans une dernière lueur de lucidité, tandis que j'étais écrasée contre lui, comme certains contacts physiques peuvent avoir peu d'importance, et d'autres tellement. Alistair eût bien pu être la vieille Martha, pour ce que j'éprouvais en le sentant m'entourer de ses bras. Peut-être étais-je maintenant immunisée? Impossible même d'éprouver le moindre embarras, quand Katy et lui m'aidèrent à me dévêtir. A la vérité, je ne sentais plus rien, à part un engourdissement accablant.

Avant que de finir par sombrer dans l'inconscience totale, j'entendis Alistair qui demandait d'un ton préoccupé :

– On peut vous laisser, vous êtes sûre?

Je parvins à marmonner :

– Oui, merci. Laissez seulement la porte de côté ouverte pour Berry, mais je n'étais pas certaine qu'il m'ait entendue.

Avec un effort désespéré, je me forçai à ouvrir les yeux. Ce n'était pas moi qu'Alistair regardait. Il était penché vers Katy qui le fixait avec un sourire doux et confiant.

Je n'avais plus besoin d'être un chêne, pensai-je l'esprit embué, laissant retomber mes paupières. Un robuste pin d'Ecosse ferait probablement aussi bien l'affaire du lierre.

14

– Vous étiez furieuse contre lui, la nuit dernière, mais le sommeil vous a fait beaucoup de bien, dit gentiment Katy, pendant le petit déjeuner. Il a eu tout à fait raison de vous donner ce somnifère, vous ne pensez pas?

– Sans doute, avouai-je en rechignant. Je ne crois pas que le fait de rester éveillée toute la nuit aurait fait avancer le problème de Berry. Mais, tout de même, Alistair a un peu outrepassé ses droits. Il aurait dû me demander...

– Vous auriez refusé, vous le savez bien, dit Katy dans une de ses lueurs de perspicacité. (Elle sourit d'un air songeur.) Il a une réelle autorité et beaucoup de maîtrise... et il est merveilleusement bon, aussi. Il ne vous donne pas, comme le fait Cecil, l'impression que vous êtes stupide. Vous comprenez ce que je veux dire?

– Alistair est, par nature, un tempérament positif et énergique. Il n'a pas besoin d'enfler son propre moi en diminuant celui d'autrui.

Cecil n'avait pas été aussi rude et viril, ni aussi attirant physiquement, que l'étaient ses deux aînés. D'où son sobriquet de « monsieur l'Intelligent ». Alistair, seul garçon et l'aîné de plusieurs sœurs en adoration devant lui, n'avait jamais, d'après ce que j'avais compris, connu la nécessité de la compétition; jamais éprouvé le besoin de démontrer sa supériorité. Et c'était ce besoin même qui poussait Cecil vers le haut de l'échelle.

– Je pense qu'il est chic... (Elle s'arrêta, puis demanda carrément :) Est-ce que vous verriez un inconvénient à ce que j'aille avec lui, ce matin, à Land's End? Je ne connais pas cet endroit, et il dit que la promenade me ferait du bien. Il va rendre visite à un de ses malades qui vit non loin de là. Nous ferions ensuite un petit pique-nique, sur le promontoire. Ce serait amusant...

– Mais bien sûr, allez-y.

– Vous êtes bien certaine que cela ne vous ennuie pas? Si je savais pouvoir vous être utile, je serais restée, mais Berry ne connaît que vous. Il ne répondrait pas si je l'appelais, dit-elle avec sérieux. Alistair prétend d'ailleurs que je serais plus une gêne qu'une aide, vu que je suis sujette au vertige et que je pourrais glisser sur les rochers. Il a pensé que vous seriez soulagée de ne pas avoir à vous occuper de moi, aujourd'hui.

– Allez, sauvez-vous, répétai-je. Mais soyez prudente... je veux dire, ne commencez pas à faire du charme à Alistair. Vous savez qu'il a les pieds sur terre.

– Je le sais. (Elle rougit.) J'ai l'impression que vous me prenez pour une idiote, n'est-ce pas?

– Non. Simplement très jeune et romantique, et aussi très seule. Je suis passée par là et j'étais plus jeune que vous ne l'êtes. (Je laissai échapper un soupir, sans le vouloir.) Certaines filles font leur chemin toutes seules allégrement. Les autres ne rêvent que d'un partenaire qui cheminerait à leur côté... et nous n'attendons pas toujours de rencontrer celui qui serait le bon.

Elle me regarda, comme si elle s'apprêtait à me répéter « que je ne parlais pas comme une infirmière » ou comme « la fille du maréchal-ferrant du village ». En fait, elle bondit sur moi d'un geste maladroit, me donna un petit baiser rapide.

– Vous êtes adorable. Vous comprenez la vie, dit-elle d'une voix très basse. Il, Alistair, dit que ce qui importe ce n'est pas de se rouler dans la poussière après une chute, mais de s'aider des pieds et des mains pour se relever, et essayer à nouveau. Il est sûr que je ne me suis pas donné une seconde chance.

Je lui souris, me demandant combien de temps durerait le nouveau catéchisme « Alistair dit », changeant de l'habituel « Angela dit... ». Ce qui n'en était que mieux. Ce qu'Alistair pourrait lui dire serait au moins marqué par le bon sens.

– Alors... au revoir. Je serai de retour avant l'arrivée d'Angela et d'Aylward, ajouta Katy. J'espère aussi que Berry sera revenu. Il ne semble pas possible qu'on l'ait volé.

Je secouai la tête. J'avais écarté cette possibilité la nuit dernière. Il a trop peur des gens qu'il ne connaît pas pour avoir risqué de se faire prendre en s'approchant d'eux. J'avais, en outre, appelé le poste de police au cas, très improbable, où on l'aurait trouvé errant, mais j'étais pratiquement certaine qu'il se trouvait quelque part dans les falaises.

C'était en un sens, comme l'avait prévu Alistair, un soulagement de ne pas avoir à veiller sur Katy. Et cependant, après l'avoir vue partir avec Alistair, je me sentis terriblement seule. Martha, je le savais, partageait mes angoisses et eût été heureuse de m'aider, mais je la voyais mal ramper sur la falaise à son âge. S'il s'était agi de la disparition d'un enfant, tous les gens valides l'auraient recherché sur des kilomètres à la ronde, mais je ne pouvais pas attendre qu'on se dérange pour un dachshund. Berry était mon chien, et c'était à moi de le sauver.

J'avais eu une bonne nuit de sommeil, et je me sentais plus forte et capable, maintenant, de ne plus céder à la panique. J'étais même en état, maîtrisant mon imagination, de faire appel à mon intelligence. Même en admettant que la falaise soit criblée de trous, tous n'étaient pas accessibles à un chien. Et pas davantage les corniches menant à certains d'entre eux. Un grand nombre étaient d'ailleurs le domaine des oiseaux qui y nichaient. J'imaginais mal le petit chien nerveux et impressionnable, bravant la fureur et l'agressivité des mouettes, qui pouvaient en vérité être très féroces.

Je décidai de retourner à la baie en essayant de me mettre à la place de Berry, imaginant ce qu'il aurait pu faire. Je cheminai lentement le long du sentier, explorant chacun des petits embranchements qu'il aurait été susceptible de prendre, mais négligeant ceux qui auraient exigé de lui un saut très important. Les dachshunds sont moins agiles que les terriers. Leurs pattes, presque comiques tant elles sont courtes, ne leur permettent pas une grande détente.

Si seulement je pouvais apercevoir le bout de sa queue, ou entendre son jappement qui m'était si familier, j'arriverais à agrandir le trou pour lui permettre d'en sortir; mais la matinée se passa sans le moindre signe de lui. Couverte de poussière et accablée par la chaleur, m'accroupissant devant chaque trou, je restais l'oreille tendue en appelant : « Berry! Berry! » inlassablement.

Comment, s'il était vivant, ne répondait-il pas? Avait-il aboyé et geint jusqu'à l'épuisement alors que j'étais sous l'effet d'une drogue, qui me forçait à dormir? Avait-il été étouffé, ou avait-il perdu conscience? Il s'était peut-être assommé en cherchant à se dégager ou bien, épuisé ou trop terrifié, il avait alors cessé de lutter. L'incessant piaillement et le bruissement d'ailes des oiseaux de mer me mettaient les nerfs à vif. Fallait-il qu'ils tournent ainsi autour de moi en jetant ces cris lugubres? J'avais le sentiment et c'était absurde, qu'ils voulaient me faire tomber. Je les connaissais. J'avais vu ce qu'ils étaient capables de faire d'un cadavre, ou même d'un faible agneau nouveau-né.

Je faillis glisser de l'étroit rebord sur lequel je me tenais sous le choc que j'éprouvais en entendant mon nom. Je ne sais pourquoi j'avais décidé, sans aucune raison, qu'Angela et Aylward n'arriveraient à Port-Mathers que vers l'heure du thé... J'agrippai une poignée de racines de bruyère, ce qui m'évita de perdre l'équilibre, me tortillai de côté et regardai Aylward en clignant des yeux, car la lumière était aveuglante. Il se tenait au sommet du sentier appuyé sur une robuste canne. Le soleil faisait luire le brun profond de sa chevelure, comme la première fois que je l'avais vu, il y avait de cela tant d'années, et comme cette première fois, je sentis les battements de mon cœur se précipiter.

– Conker! appela-t-il à nouveau. Laissez tomber ce que vous faites pendant quelques minutes, chérie! Angela veut vous parler.

Je repris le sentier, grimpant comme je pouvais, tout en essayant de secouer la poussière et les brins de fougères accrochés à mes jeans. Mon apparence n'était certes pas celle que je souhaitais présenter à Angela pour son retour. J'étais irritée et sentais que je n'étais pas à mon avantage.

Prenant les devants, je dis d'un ton de reproche :

– Vous ne nous avez pas prévenus que vous seriez là si tôt. Nous ne vous attendions pas avant l'heure du thé.

De sa main demeurée libre, il me hissa au sommet de la falaise. Ses doigts et leur étreinte, je les retrouvais tels que je les connaissais, et c'en était poignant... mais cette pâleur qu'ils n'avaient jamais eue me bouleversa.

– C'est à Angela que vous le devez. Comme toujours,

elle est terriblement pressée. Elle m'a fait lever très tôt et partir presque à 6 heures, dit Aylward d'un air résigné. Son plan est de me déposer ici, et de repartir pour Plymouth.

– Pour Plymouth? Pourquoi? demandai-je d'un air ahuri.

Il haussa les épaules. Leur carrure était toujours plaisante, bien qu'il eût beaucoup maigri. Il flottait littéralement dans sa veste et je remarquai qu'il avait dû retenir son pantalon avec une ceinture.

– Angela est à la maison; elle fait un peu de toilette. Elle vous expliquera, dit-il en prenant ma main qu'il passa sous son bras. Et le chien, rien de nouveau? C'est embêtant! La vieille dame nous a dit que vous étiez ici, à sa recherche. Quand a-t-il disparu?

– Hier après-midi. Je me sens tellement stupide, parce que je savais que je n'aurais pas dû le laisser courir en liberté. Miss Henrietta me l'avait bien recommandé. J'ai l'impression de les avoir trahis tous les deux...

Tout le chagrin et les remords que j'avais refoulés s'étalèrent sans la moindre honte. Devant Aylward, je n'avais jamais éprouvé aucune contrainte.

– Si vous lui aviez demandé son avis, il aurait couru le risque avec joie. Croyez-vous que ce soit drôle d'être toujours tenu en laisse! dit-il en cherchant à me réconforter. Ne vous torturez pas ainsi! C'est fou le temps qu'un chien peut passer dans un terrier à lapin ou dans un puits de mine, et sans dommage. Avec un peu de chance, nous le retrouverons. Et pourquoi Berry (1)? Pourquoi ce nom?

– Brun comme une baie! disait toujours miss Henrietta, ce qui était une comparaison ridicule, vu que la plupart des baies sont rouges ou noires. Nous en sommes venues à penser qu'il s'agissait peut-être de baies de caféier, mais alors ce sont des grains. Vous auriez adoré miss Henrietta!

(1) Baie : fruit charnu à pépins.

196

Naturellement, si c'est ce que vous éprouviez, dit-il d'un ton tranquille. Conker, ne vous est-il jamais venu à l'esprit que nous sommes tous deux de la même espèce? Comme deux gants d'une même paire?

– Non. J'avoue que je n'y avais pas pensé, dis-je un peu hébétée.

– M'inspirant de Kipling, ma version serait :

Vous aimez les choses que j'aime,
Et vous voyez les choses que je vois,
Et ce que je pense de vos goûts
Vous le pensez des miens.

N'est-il pas ainsi en ce qui nous concerne? Qu'en pensez-vous, Conker?

– Est-ce vraiment ainsi? Peut-être, dis-je toute troublée.

Quand il me regarda avec son sourire chaleureux en disant « Conker » avec cette intonation caressante qui n'appartenait qu'à lui, je sentis que, tout comme au temps de mon enfance, je me trouvais incapable de raisonner avec lui. Je constatai, comme nous nous dirigions vers le cottage, qu'il boitait visiblement. Autour de sa bouche et de ses yeux, des petits sillons s'étaient creusés; et si son exubérance débordante et sa vivacité d'esprit étincelante s'étaient un peu ternies, il était toujours Aylward, mon ami et mon héros. Rien n'avait changé en lui.

– Je voulais seulement que les choses soient bien claires; mais je sais que pour le moment, votre esprit est entièrement occupé par Berry, dit-il comme pour s'excuser. Nous pouvons parler plus tard. Une seule chose, Conker, ne permettez pas qu'il y ait d'autres malentendus... d'autres toiles d'araignée.

– Toiles d'araignée? répétai-je sans comprendre.

Ses lèvres se crispèrent.

– Angela ne peut s'empêcher de tisser des toiles d'araignée. C'est plus fort qu'elle. Elle a le génie de l'intrigue. Je pense que c'est normal chez les gens nés avec la volonté de puissance. Il faut qu'ils arrivent à leurs fins, peu importe par quels moyens. (Il se tut un instant, puis ajouta :) Nous sommes des jumeaux dissemblables. Vous le saviez, bien sûr?

– J'ai oublié. A vous voir, vous êtes étonnamment semblables.

– Nous l'étions, corrigea-t-il.

Je ne comprenais pas ce qu'il voulait dire par là. Les caractéristiques fondamentales des êtres sont permanentes. Angela et lui seraient toujours grands, bruns et beaux.

Il ajouta comme s'il avait compris mon embarras :

– Il est normal que les gens évoluent à leur manière... prennent des directions différentes. Les ambitions exigent leur tribut et laissent leur marque. Ne l'avez-vous pas remarqué en revoyant Cecil?

– Cecil? Oh, oui! (J'éprouvais une curieuse répugnance à discuter de Cecil :) Il est déjà marqué par la prospérité et la réussite.

– En avez-vous été surprise?

– Non. Pas vraiment. C'était un petit garçon intelligent et vorace.

Nous allions atteindre la porte de côté, quand elle s'ouvrit brusquement, laissant apparaître Angela qui arrivait à toute allure!

– Oh! Enfin, vous voilà! Entrez maintenant, lança-t-elle d'un ton impératif. La vieille servante a préparé du café et des sandwiches. Je dois filer aussitôt que j'aurais avalé quelque chose et récupéré cette idiote de fille. J'ai compris qu'elle était chez le docteur.

Elle me donnait l'impression d'être un contre-torpilleur fonçant à toute vapeur sur moi, simple petit voilier exposé à être coupé en deux si je n'arrêtais pas sa progression. Les doigts d'Aylward serrèrent les miens, et je relevai le menton.

– Ecoutez-moi, Angela! dis-je très calmement. Si nous avions su que vous seriez là pour le déjeuner, je suis certaine que Martha aurait été heureuse de vous offrir un repas. Cette maison est la sienne, maintenant.

– Alors, à ce que je vois, votre dernier emploi n'a pas payé? dit-elle d'un air ironique. Vous n'êtes pas très experte dans l'art de les dénicher, n'est-ce pas, Connie? Cependant, si ça vous mène à un mari qui en vaut la peine, vous n'aurez pas complètement perdu votre temps. D'après les informations de dernière heure, c'est un jeune avocat d'avenir.

Rencontrant son regard qui se voulait à la fois méprisant et provocateur, je compris ce qu'Aylward avait essayé de me dire. Cette Angela n'était pas le leader gai, irréfléchi, autoritaire, fascinant, de notre enfance. C'est une pierre taillée et polie, un diamant brillant, un diamant dur. Tout dans sa personne trahissait l'argent, depuis sa coiffure d'un négligé recherché, au tailleur de couturier, au chemisier de soie sauvage et aux chaussures faites sur mesures. Angela, je le compris, avait dépassé Cecil sur l'échelle de la célébrité et de l'argent, mais de cette difficile ascension, elle sortait plus diminuée encore que lui.

– Vous avez une sérieuse avance sur moi, vous ou votre service d'information! lui dis-je.

– N'est-il pas encore venu au fait? Accrochez-vous et je peux vous affirmer qu'il y viendra, dit-elle d'un ton léger.

Et en un éclair, je compris enfin pourquoi Belle avait toujours éprouvé le besoin de se tenir à l'écart d'Angela.

Ce ton protecteur joint au genre c'est-le-moindre-demes-soucis était absolument intolérable. Déjà quand j'étais enfant, je le supportais assez mal, et si je n'avais pas été sa cadette, j'aurais bien souvent réagi. Les choses étant ainsi, je n'avais jamais essayé de la combattre et m'étais contentée de traîner après elle, avec ses frères.

Cecil avait évidemment échappé à sa domination, bien que je le soupçonnais de se laisser influencer par elle, et par son genre de goûts. Aylward était-il toujours son fidèle sujet?

– Allons, venez manger! Je n'ai pas de temps à perdre, dit-elle d'un air impatient. Il faut que nous soyons à Plymouth avant 4 heures, pour accueillir le yacht de Harry quand il entrera au quai.

– Harry? répétai-je.

– Harry Haylett. Le papa chéri de cette idiote. (Ses beaux sourcils se froncèrent.) Pourquoi est-elle allée chez le docteur? Pourquoi n'est-il pas venu la voir ici? Vous devriez veiller à ce qu'elle soit traitée en patiente privée.

– Je vois que vous n'avez pas très bien compris Martha. Katy a accompagné le docteur qui allait voir un malade non loin de Land's End.

– Comme c'est bizarre! Et inopportun!

Tout dans la silhouette fine d'Angela exprimait la désapprobation, tandis que nous la suivions jusqu'à la salle à manger.

– Pourquoi l'avoir laissé partir alors que vous saviez que nous venions? C'est pour vous occuper d'elle que vous avez été engagée, vous le savez. Vous en avez fait une belle démonstration en la laissant faire sa tentative de suicide.

– En voilà assez, interrompit Aylward d'un ton calme. Il ne t'appartient pas de faire des observations à Conker.

– Oh, laissez-la dire ce qui lui plaît. Ça m'est complètement égal! lui dis-je, étonnée de découvrir à quel point c'était vrai.

Bien loin, très loin, était ce temps où les colères d'Angela me faisaient trembler, où je reculais devant ses paroles cinglantes et où je m'efforçais de lui plaire et me faire bien voir d'elle. C'était il y a bien longtemps. J'étais alors fascinée par elle, mais l'enchantement n'avait pas duré. Elle n'essayait pas de me charmer, à présent. Je doutais, d'ailleurs, qu'elle y eût réussi. Se tournant vers moi, elle me regarda comme on jauge un adversaire possible. Elle promena son regard sur ma personne poussiéreuse, décoiffée et couverte d'égratignures, et soudain elle sourit; un sourire de félin satisfait.

– Non, je ne suppose pas que Katy ait beaucoup d'importance pour vous, si vous songez à vous marier bientôt, dit-elle du haut de sa grandeur. Cependant, je ne sais pas si vous auriez trouvé particulièrement agréable qu'on ait publié à l'étranger la nouvelle qu'une de vos patientes se soit suicidée. Harry Haylett aurait très mal pris la chose, et souvenez-vous qu'il est V.I.P. (1).

– Vous vous méprenez sur le sens de mes paroles. Je ne donnais pas à entendre que je me désintéressais de ce qui pouvait arriver à Katy. Elle me préoccupe et je fais ce que je peux pour elle. Ce n'est pas moi qui lui ai donné ces somnifères, en lui conseillant de les prendre, ripostai-je.

– Il semble que l'idée n'ait pas trop mal réussi. Je vais lâcher l'histoire à Harry et il faudra bien qu'il cesse de soulever des objections à l'idée d'avoir Aylward pour gendre, fit remarquer Angela avec suffisance. Harry est ridicule quand il objecte qu'Aylward est trop âgé pour Katy. Cette idiote d'enfant a justement besoin d'un homme plus âgé qu'elle. En outre, elle est absolument folle d'Aylward et sera délirante de bonheur de jouer la reine du château.

Nous étions toujours debout l'un près de l'autre, Ayl-

_____

(1) *Very Important Person* : quelqu'un de très important.

ward et moi, sa main refermée sur la mienne. Je reculai, involontairement, à ce qu'elle venait de dire, et je me dégageai.

– Asseyez-vous et faites comme chez vous! Je vais simplement me rafraîchir un peu et voir si Martha n'a pas besoin que je l'aide à faire les sandwiches, dis-je et je disparus.

Je fis un brin de toilette, me donnai un coup de peigne, enlevai la terre accrochée à mon pantalon et revins à temps pour entendre Angela remercier, avec beaucoup d'affabilité, Martha qui apportait le plateau. Le charme était toujours là – et Angela pouvait en faire quand elle le voulait. Martha se retira, rougissante et satisfaite, et comme par enchantement, le sourire d'Angela s'évanouit.

– Tu ferais bien d'y réfléchir à deux fois, mon cher frère, dit-elle d'une voix cinglante. Je pense que ton image de star en prendrait un sérieux coup si la rumeur commençait à circuler que tu as agi déloyalement envers cette enfant; que tu t'es servi d'elle pour arracher un contrat à son cher père et la laisser tomber ensuite quand le contrat s'en est allé en fumée.

– Veux-tu, je te prie, cesser d'essayer de me prendre dans tes pièges? (Aylward parlait d'une voix lasse, mais ferme.) C'est toi qui as arraché ce contrat, comme tu dis. Tu as ensorcelé cette enfant et tu me l'as jetée dans les bras, ou du moins tu as essayé. Tu lui as fait croire qu'elle m'intéressait.

– Tu ne m'as pas contredite. Tu l'as autorisée, si tu ne l'as pas encouragée, à se considérer comme ta fiancée, dit Angela d'un air triomphant. Si tu essayes maintenant de te dégager, ton nom sera traîné dans la boue.

– Le tien aussi. Si tu choisis de le noircir, je ne peux pas t'en empêcher. Je te le dis tout net! Je n'ai jamais, à aucun moment, demandé à Katy Haylett de m'épouser. Je ne me sens nullement engagé par ce que vous avez pu mijoter ensemble, et je refuse de me soumettre au chantage.

– Comment sais-tu ce que tu as fait ou pas fait? (Angela avait déjà attaqué les sandwiches, et pris le percolateur sans même jeter un regard à Aylward.) Tu n'arrives même pas à te souvenir d'elle, ou du moins tu l'as prétendu avec insistance!

– Au début... C'est vrai, je ne me souvenais pas. Puis, plus tard, j'ai vu là un moyen de la refroidir sans brutalité. (Il s'était appuyé contre la cheminée, le visage marqué par la fatigue qui se percevait aussi dans sa voix :) C'est inutile, Angela. Je ne me laisserai pas prendre à tes pièges. Personne ne décidera de mon avenir.

– Tu es un fou. Tu l'as toujours été. Tu ne récupéreras jamais le château par tes propres moyens, dit-elle avec un air de mépris.

– T'arrive-t-il de m'écouter? Je t'ai répété cent fois que je ne veux pas du château, répliqua-t-il. Ce serait un boulet que je traînerais toute ma vie.

– Ce que mère et Cecil et moi aussi désirons, cela ne compte pas, bien sûr?

– Vos désirs devraient compter? Mais mère n'est pas née au château. Père n'en était pas le propriétaire quand elle l'a épousé. Aucun de nous n'y est né. C'est le hasard qui nous y a fait vivre. Je t'accorde que l'existence y a été extrêmement agréable, mais cet intermède... ne justifie cependant pas, à mes yeux, l'idée de passer le reste de ma vie à me battre pour garder cette demeure.

– Tu n'aurais pas à te battre avec une femme riche.

– Merci pour tes efforts en ma faveur. Mais un homme préfère choisir lui-même son épouse.

Si le ton d'Aylward était toujours mesuré, son visage, en revanche, trahissait une extrême fatigue.

– Cette sorcière aux cheveux roux? La fille du maréchal-ferrant du village? Tu dois être fou! Ne comprends-tu pas l'importance du milieu social? jeta-t-elle d'un ton cassant.

— Pour certaines personnes. Pas pour moi. Et pas pour Conker, que je sache. Pourquoi soupirer ainsi après une grandeur passée? Tu te débrouilles fort bien par toi-même. Tu n'as pas besoin de cette sorte de sécurité?

— Combien de temps connaîtrai-je la réussite? C'est une vraie jungle... et si mes studios étaient installés au château...

Aylward laissa échapper un bref soupir d'impatience, et, involontairement, je fis un pas en avant. Angela me tourna le dos, mais Aylward me regarda en souriant.

— Vous ne vous avouez jamais battue, Angela? Pourquoi ne pouvez-vous laisser Aylward tranquille, et comprendre qu'il n'a pas le goût de se donner en spectacle, d'être en représentation?

— Que dites-vous? (Elle pivota brusquement, sa tasse à la main et presque au bord des lèvres :) Pas le goût du spectacle?

— Vous ne vous souvenez pas de nos poneys? C'était inutile d'essayer de dresser ceux qui n'étaient pas doués pour le concours hippique, ou pour le saut. On peut mener un cheval à l'abreuvoir, mais on ne peut le faire boire, s'il n'a pas soif... Le proverbe vaut, de la même façon, pour les gens. Est-ce qu'Aylward a jamais eu le goût de parader en disant à tout le monde combien il était merveilleux? De faire admirer aux spectateurs les belles allures de son cheval?

— Pourtant, devant les caméras, il n'avait pas l'air mécontent de parader.

— Parce qu'il était enthousiasmé de parler des animaux qu'il présentait. Non pas parce qu'il était ravi d'être sur l'écran...

— Calmez-vous toutes les deux! Conker, ma chérie, il faut nous hâter de prendre quelques sandwiches, avant qu'Angela n'ait tout engouffré. Ensuite, nous nous occuperons de retrouver votre chien, dit Aylward en s'inter-posant.

– Chien? (Le ton d'Angela était impossible à décrire.) Quelle belle excuse! Conker a perdu son chien et, pour cette raison, tu ne peux pas venir à Plymouth avec moi pour t'expliquer avec Harry. Tu dois rester ici pour chercher un chien. Dieu! Donnez-moi la patience!

– Je n'ai rien à dire à Harry Haylett, répondit Aylward.

– Pas d'explication? Pas d'excuses?

Angela regarda son frère en fronçant le sourcil.

– Tu n'es pas près de te voir confier une autre mission, si tu n'essayes pas de te faire pardonner ton comporte-ment envers sa fille.

– Mon comportement? Je n'ai pas poussé sa fille dans un précipice.

– Tu t'imagines que je l'ai fait? (Les yeux noirs d'Angela lançaient des éclairs.)

– Je n'en ai aucune idée. L'as-tu fait? demanda Aylward. C'était toi qui avais suggéré que Katy fasse un testament en ma faveur.

– Ainsi, c'est par cela que tu m'as soupçonnée?

– Je ne t'ai pas soupçonnée... je me suis seulement demandé...

Le frère et la sœur se dévisagèrent, et ce fut comme le croisement de deux fers. Angela, la première, mit fin à leur long affrontement silencieux.

Moins assurée qu'à l'habitude elle avoua :

– Je n'aurais pas couru un tel risque. Je ne suis pas folle. Quelqu'un aurait pu me voir. En fait, j'étais sur le sentier au-dessus en compagnie de Cecil, quand ce bloc de pierre s'est détaché.

Aylward se contenta de la regarder sans répondre.

– Oui, je sais! J'aurais dû crier pour l'avertir. (D'un geste nerveux, elle secoua la tête, tout comme elle faisait, il y avait des années de cela, quand elle rejetait en arrière son épaisse crinière sombre.) Je ne l'ai pas fait, mais mon cher frère non plus. Peut-être étions-nous trop ahuris? Tout s'est passé si vite. Le caillou faillit presque manquer Katy. Il n'a fait que la raser, mais ce fut suffisant pour lui faire perdre l'équilibre.

— Et tous deux, vous avez gentiment regagné le camp en flânant? dit Aylward d'un ton incrédule.

— Pour te laisser jouer les courageux sauveteurs, rectifia-t-elle. Comment pouvions-nous deviner que tu glisserais, ou que le brouillard tomberait? Nous n'avions certainement pas l'intention de risquer de nous casser la figure dans le brouillard... pour Katy. De toute façon, elle a eu de la chance.

Comme le jour où elle a avalé ces capsules, pensais-je, mais je me tus et Aylward aussi. Il regarda simplement sa sœur, avec l'expression de quelqu'un qui vient de recevoir un choc.

Les traits d'Angela se durcirent.

— Ta reconnaissance me rend confuse, dit-elle avec ironie.

— Que te dois-je? Un long séjour à l'hôpital, et une situation terriblement embarrassante? (Le ton égal et calme d'Aylward n'était dû qu'à un terrible contrôle de lui-même. J'en avais conscience.) Quoi que tu aies pu faire, ou ne pas faire, ça n'a été que dans ton propre intérêt, pas dans le mien. Depuis notre plus tendre enfance, tu m'as menti, mais je ne l'ai compris que récemment. Seulement... tu n'aurais pas dû mentir à cette enfant confiante et admirative. C'est là une trahison que je trouve impardonnable.

— Tu es un fou et une poire, comme tu l'as toujours été! Fais-en à ta guise et vois où ça te mènera, dit Angela d'un ton méprisant. Dans quelque cabane au milieu des marécages, entouré d'oiseaux aux cris perçants. Je ne serais pas étonnée que tu finisses ainsi! Conker ferait bien d'y réfléchir à deux fois avant de lier son sort au tien.

15

Angela était une spécialiste des sorties magistrales. Quand, dans notre enfance, il arrivait parfois qu'on la contrarie, elle choisissait immanquablement de se retirer en pointant le menton avec énergie, nous laissant la regarder partir d'un air déconfit.

En ce moment fatidique, sa fureur, toutefois s'était dépassée. Nous nous regardâmes involontairement, Aylward et moi, et une grimace enfantine vint détendre son visage amaigri.

– Une cabane au milieu des marécages, entouré d'oiseaux aux cris perçants, répéta-t-il, secoué d'un rire qu'il essayait de contenir. Eh bien! C'est une variante de « l'amour dans un cottage couvert de roses ». Ça vous dit quelque chose, ma chérie?

– Pourquoi pas? J'aime les cabanes et les oiseaux, excepté les prédateurs... (Une gaieté, un bonheur de vivre presque farouches m'envahirent tout entière comme un feu liquide dans mes veines :) M'offrez-vous de partager votre cabane, Aylward?

– Ce serait pour moi une vraie bénédiction...

– Vous êtes cinglés, tous les deux!

Je n'aurais pu dire de quelles autres injures Angela nous gratifia, tout en ramassant son sac de crocodile et

207

ses gants. La tension soudain s'évanouit et c'est avec délice qu'Aylward et moi échangeâmes une petite grimace, de cette manière de conspirateurs, qui était la nôtre au bon vieux temps de notre enfance.

Arrivée à la porte, Angela s'arrêta, puis se retourna comme pour donner une dernière chance à son frère.

– Et qu'en dirais-tu si j'épousais Harry et qu'il m'installe au château? Tu ne pourrais pas nous en empêcher. Il y a toujours un moyen de faire transférer un bail quand on a autant d'argent qu'Harry.

– Si c'est la solution qui peut te satisfaire, vas-y, et bonne chance, répondit Aylward sur un ton de parfaite bonne humeur. Ai-je jamais essayé de contrarier tes projets personnels? Toujours, depuis le premier instant où j'ai rencontré Conker, tu n'as cherché qu'à nous séparer, elle et moi, mais tu n'étais pas de force à contrarier le Destin. Ayant retrouvé Conker, je m'accrocherai à elle aussi longtemps que j'aurai un souffle de vie. Ce que tu fais ne regarde strictement que toi.

Il me serait difficile d'oublier l'image d'Angela à cet instant, le port arrogant de sa tête sombre bien découpée, son élégante silhouette, et la détermination fougueuse qui se lisait dans ses yeux. Elle était plus que saisissante. Elle était superbe de beauté. A la différence, toutefois, que les émotions que reflétait ce visage avaient quelque chose de trop primitif et de sauvage pour ne pas ternir cette lueur intérieure qui illumine la beauté véritable.

Elle aurait pu être Boadicée (1) s'apprêtant à lancer son char dans la bataille, c'est ce qu'elle évoqua pour moi, et j'en eus comme un frisson. Je n'avais jamais cru aux prémonitions mais le froid de la peur me saisit soudain. Peut-être n'était-ce pas autre chose que la crainte superstitieuse qui vous est inspirée par tout être s'apprêtant à

---

(1) Reine trahie et vaincue par Néron.

défier le Destin; mais j'avais l'horrible impression qu'Angela, comme Boadicée, allait au-devant, non pas du triomphe, mais du désastre.

Peu douée par la clairvoyance, mes pensées m'entraînant vers des possibilités assez terre à terre, dans le genre accident de la route, je ne pus m'empêcher de dire « Soyez prudente... » à quoi elle répondit par un rire sec et disparut. Aylward et moi attendîmes en silence d'entendre le claquement de la portière et le bruit du puissant moteur dont l'écho se prolongea très longtemps, avant de s'évanouir tout à fait.

Aylward soupira; et toujours sous l'influence de mes craintes, je dis :

– Je regrette qu'elle soit partie... de cette façon. Pourquoi a-t-elle cette obsession du château? Vous pensez qu'elle épousera le père de Katy?

– Qui sait? Dans un sens, ils seraient bien assortis. Harry Haylett est charmant et ambitieux, bien de sa personne, et dur comme la pierre, dit-il en grimaçant. Mais... un homme recherche-t-il une femme qui serait sa réplique?

– Je ne crois pas, dis-je, reprise par la peur. Aylward, j'ai comme le sentiment qu'il va lui arriver quelque chose.

– Voyons, chérie! Abandonnez cette idée; rien, probablement, n'arrivera à Angela, maintenant... tout de suite. Elle a eu un message envoyé la nuit dernière par radio depuis le yacht de Harry, lui apprenant qu'il avait fait une chute et s'était fait mal au dos. Une ambulance attendra au dock et le conduira à l'hôpital pour y être radiographié. Il a plus ou moins donné l'ordre à Angela d'être présente avec Katy.

– Oh, alors! Il ne sera pas d'humeur très romantique.

– Sûrement pas, si comme il le craint, c'est une histoire de vertèbre. C'est le genre de personnage pour lequel tout accident, ou maladie est une sorte d'affront ou d'humiliation personnelle. Pour ce qui est de son physique, il est d'une rare vanité. S'il doit faire un long séjour à l'hôpital, il deviendra un peu plus humble.

— Je me demande à quel hôpital on l'emmènera... Je ne sais pourquoi, intuitivement, j'avais pensé à Belle, et à la rivalité de toujours entre elle et Angela.

Avais-je le vague pressentiment qu'elles allaient, à nouveau, croiser le fer? et que Belle, cette fois, ne se retirerait pas, mais tiendrait bon et lutterait? De toute façon quand, des semaines plus tard, recevant des nouvelles de Belle, j'appris que pour Harry Haylett, souffrant à la fois physiquement et moralement, la beauté classique et sereine de ma sœur avait semblé tout simplement angélique, et qu'entre eux « on pouvait parler de véritable amour au premier coup d'œil parce que... Harry est l'homme le plus passionnant que j'aie jamais rencontré », je ne fus pas autrement surprise.

— Est-ce que c'est important? dit Aylward distraitement, en s'avançant vers la table pour prendre le percolateur. Oh! assez parlé d'eux! Je crains bien que le café ne soit froid.

— Je vais en faire du frais et vous n'avez encore rien mangé.

— C'est vrai. Autant prendre un peu de forces avant de commencer nos recherches.

— Les recherches?

Le remords m'envahit soudain tandis que je me hâtais vers la cuisine, avec le percolateur à la main. Comment avais-je pu, ne serait-ce que quelques minutes, oublier le pauvre Berry? Comment avais-je pu m'abandonner à cette joie presque irréelle, alors que, peut-être, il étouffait lentement?

Aylward n'avait pas oublié le chien, bien que ne l'ayant jamais vu. Comment Cecil osait-il accuser Aylward d'avoir voulu fuir les réalités? Sa famille n'avait jamais été juste avec lui...

– Quel genre de chien est Berry... je veux dire comme caractère? demanda Aylward tandis que nous dégustions le café que je venais de préparer, en l'accompagnant de quelques sandwiches. Est-il aventureux, confiant?

– Oh non! Il est nerveux et facilement effrayé. Il a peur des étrangers et une terreur bleue du tonnerre. C'est pourquoi je suis certaine qu'il ne serait pas parti tout seul, excepté pour courir après un lapin.

– Nous avons eu un terrier dans le même genre, quand nous étions enfants. C'était une chienne, brave comme une lionne quand elle chassait les rats ou les renards, mais effrayée par le moindre bruit un peu fort, dit Aylward tout en ayant l'air de réfléchir. Y a-t-il par hasard un fusil dans la maison?

– Un fusil? Vous voulez dire un fusil de chasse?

– N'importe quelle espèce de fusil.

– Seulement le « pistolet-farce » de miss Henrietta. C'était le pistolet dont son père, un instituteur, se servait pour les départs dans les compétitions sportives de l'école, expliquai-je. Elle le gardait toujours dans sa chambre, disant que si quelque jeune voyou venait nous surprendre, le pistolet suffirait sans doute à l'effrayer, mais en fait il ne tire qu'à blanc.

– Avez-vous des cartouches à blanc?

– Je pense qu'elle le gardait toujours chargé... mais... à quoi vous servira-t-il?

– Il arrive parfois qu'un chien nerveux coincé dans un coin de terrier renonce à s'échapper et reste là tapi. Et s'il entend un coup de pistolet, la peur des détonations lui redonne de l'énergie.

– J'aurais cru, au contraire, qu'il s'enfoncerait dans le terrier, dis-je incrédule.

– Ce n'est pas ce qui se passait avec notre terrier. Dès

qu'elle disparaissait, père prenait son fusil et tirait un ou deux coups en l'air, et on la voyait arriver vers nous en courant pour se faire protéger. Ça vaut la peine d'essayer, vous ne pensez pas? me proposa Aylward.

— Ma foi, oui. Si vous pensez que... (Je n'étais pas tout à fait convaincue, mais je me fiais, cependant au jugement d'Aylward.)

J'allais chercher le pistolet, et il sortit les jumelles de ses bagages qu'Angela avait simplement déposés à la porte de la maison. Côte à côte, nous partîmes par le sentier des falaises. J'avais l'impression que son bras m'entourait, et je me sentais bien. Malgré mes protestations, Aylward insista pour que nous descendions en direction de la baie jusqu'à un point où nous aurions une vue de face des falaises.

— Vous venez juste de sortir de l'hôpital et vous boitez encore, lui rappelai-je. Si vous glissiez...

J'étais prise entre l'anxiété que j'éprouvais au sujet de Berry, et le sens tout neuf de ma responsabilité envers Aylward et sa vie future. S'il pensait sincèrement à me faire partager ce futur, comment pouvais-je le laisser courir un risque, à cause de moi? « Aimer et chérir », pensai-je, et mon amour pour lui était presque une souffrance physique.

— Oh, si seulement il pouvait être là!

— Ça va aller. Donnez-moi le pistolet, dit Aylward. Dès que j'aurai tiré, surveillez bien le côté gauche de la falaise. Je regarderai à droite.

Même en y étant préparée, la force de la décharge me surprit et je fis un bond. Le bruit semblait se répercuter, tel un écho, tout autour des falaises, faisant s'élever les oiseaux de mer dont les protestations sonores accompagnaient la ronde.

Aylward fit feu par trois fois, glissa le pistolet dans sa poche, puis prit ses jumelles. Comme il me l'avait dit, je surveillais docilement la falaise, mais à l'exception des oiseaux de mer, aucune créature vivante ne s'y montrait. Mes yeux allaient d'un côté à l'autre, surveillant chaque massif d'ajoncs et de fougères mortes, inspectant les mottes de gazon desséchées au sommet des falaises, et revenaient vers le bas des rochers et le sable de la baie.

Soudain, Aylward, qui se tenait près de moi, poussa un cri de triomphe :

– Ça y est... je l'ai! Je vois sa queue... et ses pattes arrière. Criez-lui : reste là! Car s'il recule, il peut perdre l'équilibre et aller s'écraser sur les rochers.

Il baissa ses jumelles et commença à grimper le sentier. Je criai d'une voix impérative : « Reste là! Berry, ne *bouge pas!* » sans même avoir encore repéré la queue qui s'agitait frénétiquement. Berry faisait des efforts et se tortillait sur un rebord dangereusement étroit. Il pouvait, comme l'avait prévu Aylward, basculer aisément de l'autre côté. Juste en dessous, se trouvait une corniche légèrement plus large et c'est vers elle qu'Aylward semblait se diriger.

– Laissez-moi faire! C'est mon chien! criai-je en courant après lui.

– Je suis plus grand. Je peux aller plus loin que vous. Accrochez-vous à ma veste, chérie.

Le suspense me parut interminable, tandis qu'Aylward, rampant de côté et dans un équilibre précaire, réussit à atteindre le trou de lapin situé sur le rebord supérieur.

– Berry! Allons, viens! Berry, appelai-je désespérément.

– Encore un petit effort... Viens ici, Berry! Gentil chien, lui répétait Aylward. Tranquille, maintenant! Te voilà sorti...

Ce fut un petit objet absolument navrant que j'enlevai des mains d'Aylward. Yeux, museau étaient littéralement couverts d'un véritable emplâtre de terre. Qu'il puisse encore respirer semblait tenir du miracle. Il poussa quelques petites plaintes puis essaya de s'enfouir dans mon tricot, tremblant de tout son corps... comme il le faisait lors de violents coups de tonnerre.

– Je n'aurais jamais pensé à tirer ces coups de pistolet, dis-je quand, un peu plus tard, nous nous retrouvâmes installés dans le salon.

Berry, faim et soif apaisées, le poil à nouveau propre et luisant, avait retrouvé sa place sur mes genoux et, béatement étendu, dormait comme un bienheureux. Aylward me regardait, renversé dans son fauteuil. Son escalade périlleuse ne semblait pas l'avoir affecté et, tout au contraire, il paraissait détendu et arrivé au port.

– Je suppose, dit-il l'air pensif, que le retour au havre et à la seule sécurité qu'on sait devoir trouver, est le réflexe naturel de toute créature effrayée ou blessée, qu'il s'agisse d'un enfant ou d'un chien. Peut-être l'abandon de cette sécurité est-il une partie de la rançon avec laquelle on doit payer le droit d'être un adulte responsable.

– Nulle part où aller? Il est parfois dur d'accepter l'idée d'être absolument seul, dis-je faiblement. Je crois que là est le problème de Katy. Elle ne peut l'accepter. Elle est comme un lierre qui cherche le tronc d'arbre auquel s'accrocher.

– Cette enfant... (Ses sourcils sombres se froncèrent dans une expression de perplexité :) Que vais-je faire, en ce qui la concerne, Conker? Comment puis-je desserrer ses petites vrilles sans les endommager?

J'ignorais la réponse et souhaitais ardemment en avoir une à offrir.

Ce fut Martha, poussant une table roulante sur laquelle elle avait déposé thé, gâteaux et scones sortant du four, qui nous détourna temporairement du problème épineux qui nous préoccupait.

– C'est un peu tôt pour le thé mais vous n'avez pratiquement rien eu, juste un petit en-cas, fit-elle observer. Et le jeune monsieur me fait l'impression d'avoir besoin de manger. Dois-je préparer le lit pour lui, dans la mansarde?

J'interrogeai Aylward du regard.

– Angela revient-elle? A-t-elle retenu des chambres à l'auberge pour vous deux?

– Non. Nous ne nous y sommes pas arrêtés. Elle avait décidé que nous passerions la nuit à Plymouth, avec Katy. En ce qui me concerne, je serais très heureux de m'installer ici, si ce n'est pas trop de dérangement pour miss Martha?

– Pas le moins du monde. Vous êtes le bienvenu ici. Peut-être le lit manquera-t-il d'un peu de longueur pour vous, mais Mr Gillard s'en arrangeait, quand il passait la nuit ici, dit Martha pour le rassurer. J'avais l'impression qu'il aurait accepté bien d'autres inconvénients pour être près de nurse, et il me semble qu'avec vous, il en serait de même.

– Vous avez vu juste, répondit Aylward, avec son ancien sourire chaleureux. Merci mille fois.

Martha était à peine sortie du salon qu'il me demanda d'un ton un peu bizarre :

– Gillard? Est-ce là mon redoutable rival? Le jeune avocat plein d'espoirs? Il fait l'effet d'être une belle conquête.

– Beaucoup de gens, sans nul doute, penseraient ainsi, je l'admets. Me conseilleriez-vous d'attraper une mouche pour faire une bonne prise?

– Si c'était là ce que vous pensiez, vous n'auriez sûrement pas écarté mon frère.

– Je ne l'ai pas fait. J'ai simplement senti que je devais lui rendre sa liberté. Je ne pouvais pas supposer qu'il se jetterait dessus comme il l'a fait. Ce dont j'ai beaucoup souffert.

– Vraiment? En êtes-vous certaine? Offensée, sans aucun doute. Piquée aussi, mais au fond de vous, tout au fond, n'étiez-vous pas un peu soulagée? Souhaitiez-vous sincèrement passer votre vie à grimper à sa suite au long de l'échelle sans fin?

– Je ne sais pas, dis-je troublée. Sur le moment, je ne voyais pas les choses de cette façon. L'idée de ne plus être en contact avec vous tous était pour moi comme une agonie.

– Avec nous tous? dit-il en me souriant. Il me semble me rappeler qu'il y a bien longtemps, vous m'aviez fait l'honneur de me choisir en premier.

– Oui naturellement. Qui ne l'aurait fait?

– Merci, chérie! Mais... c'était en ce temps-là. Maintenant... vous seriez pardonnée si vous aviez réfléchi. Ce ne sera pas une hutte dans un marais, pas exactement, mais le poste que j'ai accepté nous fera vivre dans un bungalow près des marais, sur une longue étendue de côte, dit-il lentement. Nous aurons fréquemment des visiteurs, des gens qui observent les mœurs des oiseaux, mais pas de voisins immédiats. Le plus proche village est à trois kilomètres de là. Un excellent pays pour le cheval, d'après ce que j'en ai vu. Nous pourrions avoir deux chevaux.

– Vous... vous avez accepté le poste? Déjà?

Il fit signe que oui.

– Après votre visite à Saint-Cyriac. Avant ce jour, peu de choses comptaient. Il me semblait plus facile de me laisser porter par le courant et d'entrer dans le jeu d'Angela. Tous, mère, Angela et Cecil parlaient comme si j'étais un monstre d'égoïsme de céder à l'activité vers laquelle j'étais attiré, avoua-t-il. Puis je vous ai revue; j'ai alors compris que j'avais, après tout, un but pour lequel lutter.

J'eus peine à retenir les larmes qui ne demandaient qu'à ruisseler. Je me penchai sur la table du thé ne voulant pas qu'Aylward se doute de la force de mes sentiments pour lui. Pas encore, du moins. Pas avant qu'il n'ait réussi à se dégager de Katy.

– Si vous êtes soucieuse au sujet de Katy, je le suis également, poursuivit-il comme s'il avait lu dans ma pensée. Je n'ai pas encore réussi à comprendre comment et pourquoi elle s'est mis dans la tête que j'étais désireux de l'épouser. C'est pour moi un mystère. Je me souviens qu'une fois, après avoir signé le contrat avec son père, je l'ai embrassée en lui souhaitant une bonne nuit et en ajoutant qu'elle « était une petite chose charmante ». Mais de là à songer à l'épouser! Une enfant. Vous imaginez aisément que j'aie eu le souffle coupé quand Cecil et mère m'ont téléphoné pour me féliciter.

– Le travail d'Angela, j'imagine. Elle a persuadé Katy que vous n'étiez pas le garçon à embrasser une fille, si vos intentions n'étaient pas absolument sérieuses, dis-je. C'est du moins ce que j'ai pu comprendre de Katy. Pour son âge, elle est d'une lamentable naïveté.

– Il y a baisers et baisers.

Avant que j'aie le temps de deviner son intention, il s'était levé et était venu se pencher sur le bras de mon fauteuil. Puis m'enlevant des mains le couvre-théière et l'ayant replacé sur le pot, il m'entoura de ses bras et ses lèvres effleurèrent mon front.

– Voilà comme j'ai embrassé Katy, m'expliqua-t-il. Et voilà comment je *vous* embrasse, vous.

Nos lèvres se rencontrèrent. Comment pouvais-je me dégager? C'était comme si j'avais eu longtemps faim de ce contact...

– Une différence, hein? demanda-t-il, levant enfin la tête.

– Oui. Bien sûr. Oh, mon chéri...

– Vous nous vouliez tous... toute la famille. Je crains fort qu'il n'en soit pas ainsi, au début du moins. La famille ne sera pas ravie, dit-il avec quelques hésitations. Nous ne serons que nous deux, mon amour.

– Que pourrais-je vouloir d'autre? (Les mots jaillissaient de moi, impossibles à retenir.) Mais... si jamais vous teniez à plaire à votre famille et à retrouver le château, je serais susceptible de vous y aider. Cette chère miss Henrietta m'a laissé les droits de tous ses romans. Everton Gillard estime que ceci devrait m'assurer un solide revenu...

Il secoua la tête énergiquement.

– Non, ma Conker. Vivons notre vie à nous deux, pas celle de ma famille. Pourquoi nous sacrifier pour une maison qui n'est qu'un bluff ruineux? A moins, chérie, que vous ne rêviez de grandeur?

Ses beaux yeux sombres s'étaient faits, à la fois, tendres et taquins. Une impulsion me poussa vers lui et, entourant son cou de mes bras, je levai mon visage vers le sien.

– Notre vie à nous... C'est tout ce que je désire, murmurai-je.

Nous étions comme cramponnés l'un à l'autre, perdus au monde, quand la voix de Katy m'arracha brusquement à l'extase.

– Martha dit qu'elle va préparer un peu de thé. Vous avez le temps de prendre une tasse très vite, avant votre consultation! s'exclama-t-elle.

J'essayai de me libérer, mais la porte s'ouvrit avant que j'en aie eu le temps, et elle poussa un long : *Oh, oh!*

Au lieu de se retirer bien vite, comme je l'eusse fait à sa place, elle entra, suivie d'Alistair. Congestionnée, échevelée, et trop délirante de bonheur pour me sentir le moins du monde coupable ou gênée, j'affrontais la force de leurs regards. Celui de Katy exprimait l'effroi et le reproche. Quant à Alistair, il était froidement désapprobateur.

Ce fut Berry qui interrompit ce silence lourd de menace. Il leva la tête et aboya un petit salut.

– Oh! s'exclama Katy sur une note toute différente. Vous l'avez retrouvé. Je suis si contente. Où était-il?

– Angela et Aylward sont arrivés très tôt, avant le déjeuner. Aylward a eu l'idée de se servir du pistolet...

Faisant d'énormes efforts pour essayer de parler de façon cohérente, j'expliquai à Katy ce qui s'était passé en son absence... ou du moins une partie. Aux nouvelles concernant son père, elle répondit par un haussement d'épaules impatient.

– C'est tout à fait papa! Il ne peut s'empêcher de vouloir prouver à tout le monde qu'il est jeune et en pleine forme. Mais dès qu'il a un peu de tendinite, ou un muscle froissé, alors... il faut le voir. On le croirait à l'article de la mort, dit-elle avec cette merveilleuse intolérance de la jeunesse. Angela trouve qu'il est formidable, mais elle ne connaît pas encore son côté « petit garçon qui a mal ». L'hôpital est certainement le meilleur endroit pour lui. Mais j'imagine mal Angela dans le rôle d'ange gardien.

– Moi non plus. Avez-vous eu une promenade agréable? demandai-je, tentant désespérément d'avoir l'air à mon aise. Des paysages vraiment grandioses, n'est-ce pas?

– Merveilleux... mais tout vous semble beau, quand on est avec quelqu'un qui vous plaît... vous ne pensez pas? (Katy jeta en direction d'Alistair un regard qui acheva d'empourprer son visage.) J'ai beaucoup appris aujourd'hui. Je vous serai à jamais reconnaissante, Connie, de m'avoir amenée ici avec vous.

– Vous avez l'air très bien. Epanouie, en fait, dit Aylward sur un ton d'expert.

– Vous avez fini par vous souvenir de moi? demanda-t-elle, mais sans donner l'impression que la réponse lui importait tellement.

– Je me suis souvenu de la façon dont nous nous sommes rencontrés, et de beaucoup d'autres choses mais, franchement, je ne parviens pas à me rappeler qu'il ait jamais été question de fiançailles entre nous, répondit-il d'un ton de désapprobation.

– A vrai dire, c'était le plan de votre sœur. Elle nous a comme poussés dans cette idée... qui, sur le moment, paraissait séduisante. J'étais terriblement jeune et inexpérimentée. Je suppose que j'aurais été emballée par n'importe quelle célébrité, dit Katy, comme si elle parlait d'un « moi » qui était de dix ans plus jeune. Seulement, cette sorte de séduction ne dure pas et, comme dit Alistair, c'est une beaucoup plus grande satisfaction de sentir qu'on fait ce que les gens sont en droit d'attendre de vous.

– En effet, approuva Aylward d'un air grave.

– Et de toute façon, quand nous sommes allées à l'hôpital, et que vous avez reconnu Connie, j'ai vu ce qu'il y avait entre vous. Je ne suis pas tout à fait sotte, dit Katy avec dignité. J'ai vu comment elle a réagi avec vous, et ce qui s'est passé quand Cecil a essayé de lui faire des avances pour rattraper le temps perdu. J'ai eu l'impression que, pour vous deux, tout durait depuis l'enfance, sans que vous vous en soyez rendu compte.

– Vous avez été là-dessus d'une rare perspicacité, dit Aylward avec une appréciation sincère. Je suis désolé si j'ai pu, sans le vouloir, vous donner une impression autre, mais, pour moi, il n'y a jamais eu que Conker. Vous pourriez dire que je fus sa première conquête.

– Oh, ne vous tourmentez pas! Tout n'est qu'un problème d'expérience, lui dit Katy avec gentillesse. Je trouvais amusant d'être escortée par un homme connu mais les oiseaux, à vrai dire, ne m'attirent pas. Ce sont des créatures malpropres, piaillardes et qui n'aiment pas les caresses et, en outre, je n'aurais jamais la patience de rester cachée pendant des heures pour les observer. C'est *votre* chose à vous, mais pas la mienne, et il est essentiel, comme me l'a dit Alistair, de s'exprimer de la manière qui convient à sa propre personnalité. Vous savez... papa dit toujours que pour ce qui est du bon sens, on ne peut pas battre un Écossais.

A nouveau, elle adressa à Alistair un regard admiratif et à nouveau ses joues s'avivèrent. Je crois bien que c'est la première fois qu'il m'était donné de voir un docteur ayant l'air si embarrassé. La réponse muette qu'Alistair venait de donner à Katy était gentiment touchante.

Un peu tardivement, je présentai les deux hommes l'un à l'autre et m'arrachai à ma bienheureuse stupéfaction pour remplir mes devoirs d'hôtesse.

– C'était un peu sans gêne de tomber sur vous de cette façon, mais l'air marin m'a donné une faim de loup, n'est-ce pas, Alistair? dit Katy en s'excusant et tout en fourrant dans sa bouche un scone qu'elle savoura avec un plaisir enfantin.

– Peu importe! Vous aurez le reste de votre vie ensemble.

Les yeux d'Aylward rencontrèrent les miens, et la lueur qui les éclaira était pleine d'éloquence. C'était comme s'il avait dit tout haut : « Et même cela ne sera pas assez long pour moi, ma chérie. »

ÉDITIONS J'AI LU

31, rue de Tournon, 75006-Paris

diffusion

France et étranger : Flammarion - Paris
Suisse : Office du Livre - Fribourg
Canada : Flammarion Ltée - Montréal

IMPRIMÉ EN FRANCE PAR BRODARD ET TAUPIN
7, bd Romain-Rolland - Montrouge.
Usine de la Flèche, le 14-02-1980.
6960-5 - Dépôt légal 1er trimestre 1980.
ISBN : 2 - 277 - 21035 - 8